KB183954

상하이에서 보내는 편지

서른 아홉, 다시 봄

곽미란 지음

서른 아홉, 다시 봄

2014년 12월 13일 초판 1쇄 발행
지은이 곽미란
발행인 유준원
고 문 강원국
편 집 김혜진 박주연
디자인 엄윤경
경영지원 강수진
발행처 도서출판 더클
공급처 명문사
출판신고 제2014-000053호
주 소 서울시 금천구 남부순환로 108길 20-10 (가산동)
전 화 (02)2025-3220 팩스 (02)2025-3221
전자우편 thecleceo@naver.com

ⓒ 곽미란 저작권자와 맺은 특약에 따라 검인을 생략합니다.

ISBN 979-11-953239-3-7

이 책은 저작권법에 따라 보호받는 저작물이므로 무단전제와 무단복제를 금지하며, 이 책 내용의 전부 또는 일부를 이용하려면 반드시 저작권자와 도서출판 더클의 서면동의를 받아야 합니다.

잘못된 책은 바꿔드립니다. 책값은 뒤표지에 있습니다

도서출판 더클은 독자 여러분의 책에 관한 아이디어와 원고 투고를 기다리고 있습니다. 출간을 원하시는 분은 thecleceo@naver.com로 개요와 취지, 연락처 등을 보내주세요.

서른 아홉, 다시 봄

....

나이 드는 것이 좋다

지금 내 나이는 오전 서른아홉 시. 가장 햇살이 따뜻하게 빛나는 시간이다. 이 아침, 나는 여느 때처럼 노트북이 든 가방을 들고 도서관으로 향한다. 내 마음을 차분하게 해주는 Enya의 'only time'을 들으며 사색에 잠긴다. 책을 낸다. 내가, 드디어. 서른아홉 살의 막바지에. 그러면서 문득 드는 생각, 내가 어느새 나이를 이만큼이나 먹었지?

하긴 요즘은 모임 같은데 참석하면 내가 제일 나이가 많다. 독서모임이든, 화이트칼라동호회든, 영어회화반이든. 어딜 가나 왕언니, 왕왕언니로 불릴 정도다. 이럴 때면 내가 정말로 나이를 많이 먹었구나 하는 걸 실감하게 된다. 주위의 친구들은 이런 넋두리도 많이 한다. '나이 드니까 시간이 왜 이렇게 빨리 지나가는지 모르겠어. 해 놓은 것도 없는데 벌써 사십 대에 들어서다니.' 하면서 회한에 젖은 말투이다. 심한 사람은 우울증에도 걸렸다.

그러면 난 말한다. 왜? 마흔 살이 어때서? 이제부터야말로 정말로 자신을 위해서 살 나이잖아. 하고 싶은 거 다 해 보면서 사는 거지.

　내 얘기에 하나같이 자신감이 없다는 대답만 돌아왔다. 불안하고 초조하다고까지 한다. 여태껏 인생의 오르막을 걸어왔다면 이제부터는 내리막을 가야 한다는 생각 때문이었다.

　나는 그와는 반대다. 일단 나이 들고 보니 좋은 점은 어딘가에 가면 '대우'를 받는다는 것이다. 위에서 말한 왕언니 대접을. 그리고 나를 만나고 싶어 하고 알고 싶어 하는 사람들이 많이 생겨난다는 점이 좋다. 사람들이 나에게 의논하는 건 회사 생활의 고충이라든가 육아의 고충, 연애담, 결혼담 등이다. 그러면 난 굳이 책에서 봐온 내용이 아니더라도 거의 사십 년을 살아온 내 경험담에 의해 이런저런 '대안'이나

'조언'을 해 주는데 그때면 내가 마치 연애상담소나 결혼 예비 신부 상담소의 전문가 같다는 생각이 든다. 이 친구들은 나의 얘기를 듣고는 깊이 공감하며 고마워한다. 이럴 때면 나이가 들어서 참 좋다는 생각이 든다. 나 자신이 사람들이 즐겨 찾는 '명동교자' 집의 풍성하고 넉넉한 왕만두 같은 존재로 느껴진다.

무난하게 살아온 나의 경험담이 아직 내 나이의 삶을 경험해 보지 못한 누군가에게 조금이라도 도움이 된다니 얼마나 좋은 일인가. 중국에 '생강은 역시 오래 된 게 더 맵다.'는 속담이 있다. 지금껏 살아오면서 엄마 말을 안 듣고 내 고집대로 했다가 나중에야 엄마 말이 맞는 걸 깨닫고 역시 연륜은 무시할 수 없다는 생각이 들었는데, 어느새 나자신도 연륜 운운할 나이가 되고 보니 눈에 뭔가가 보인다. 이십 대, 삼십 대 초반까지만 해도 안 보이던 것들이 훤히 보인다. 그래서 나는 나이 드는 것이 좋다.

젊음을 겪어오면서, 내게는 내공이 생겼다. 어려움이나 슬픔, 실망에 너무 겁내지 않게 된 것이다. 그런 순간은 자신의 역량이 얼마나 되는지 확인해 보는 좋은 기회가 된다. 젊은 시절 다른 사람보다 더 열심히 일하고 성실히 살아왔던 내가 얻은 소중한 재산은 바로 나 자신이다. 미란 그리고 메이란으로서, 나는 나이 드는 것이 좋다.

나이가 드니까 이해심도 많아지고 마음도 넓어진다. 둘째를 키우면 맏이를 키울 때보다 관대해지는 부모들처럼 많은 걸 경험하고 겪어 왔기에 어지간한 일은 어떻게 넘어가야 하는지에 대한 지혜가 쌓인다.

나이가 들면 여유가 생긴다. 이럴 때 나는 뭐든지 배우라고 말하고 싶다. 처녀 시절에 못 해 봤던 것, 아이 뒷바라지 하느라 하고 싶어도 못 해봤던 것을 해라. 남편과 자식의 삶을 뒷바라지하는 삶과 함께 자신의 삶의 주인공이 되어 진정 자신을 위한 열정적인 삶을 살아라.

CONTENTS

생활을 읽다-달콤한 계략, 나의 취미 생활

문학을 읽다-책 읽는 여자, 꽃 피우다

상하이를 읽다-내가 지금 상하이에 있는 이유

epilogue_왼손의 고마움

서른
아
홉,
다시 봄

삶을 읽다

니하오, 메이란

요즘의 나 vs 원래의 나

요즘의 나는 바쁘다.

　한 달에 한 번은 '화이트칼라동호회' 활동에 참석해 내 속에 꽁꽁 품었던 꿈을 점검한다. 매주 토요일 아침엔 '삼수학당 독서모임'에 참석해서 임의의 주제로 10분 강연도 하고 독서에 대한 열띤 토론도 벌인다. 글쓰기 세미나가 있으면 하나도 빼놓지 않고 참석하고 한 주일에 삼사일은 도서관에 가서 글쓰기를 한다. 미술 전시회나 박물관, 연주회도 가끔 다니며 내공을 쌓는 데 게을리 하지 않는다. 이외에도 테니스와 승마, 기타를 꾸준히 배우고 있고 헬스클럽에도 부지런히 다닌다. 그렇다고 가정생활에 쏟을 에너지가 없는가 하면 그런 것도 아니다.
　내 에너지는 넘쳐난다. 건강에도 좋고 맛도 좋은 새로운 요리도 늘 선보이고, 가족 회식도 게을리 하지 않는다. 딸애의 그림 그리기, 수영 이외에 피아노 레슨도 따라다닌다. 다양한 친구들을 만나고 여행도 자주 다닌다. 친구들은 나를 보고 참 열정이 좋다고들 입을 모은다. 그러면서 그들이 꼭 한마디씩 남기는데 내용은 대동소이하다.

"미란이야 늘 멋진 삶을 살지."

"걔야 자유의 여신이지."

"미란인 참으로 열정적인 삶을 살아요."

"살맛나는 삶을 살아."

그런 그들에게 나는 시치미를 떼고 물었다.

"너희들이 원하는 삶이 대체 어떤 건데?"

그러면 그들은, "날고 싶을 때 훨훨 나는 거……."라거나, "싱글처럼 사는 거"라고 대답했다.

"너희 남편이 너를 집에다 가둬 놨니?" 나는 우스개로 말했다.

하지만 나도 이해한다. 나도 그랬으니까. 나도 애 딸린 아줌마로 걸리는 게 너무 많아서 늘 이러지도 저러지도 못한 채 어정쩡한 삶을 살아가고 있었으니까. 주위의 친구들이 참 딱하다는 생각이 들었다. 내가 할 수 있는 방법을 고민하다가 나는 그들의 속을 채워줄 내 나름의 방법을 고민해 보았다. 내 속이 채워지니 그런 것도 고민하게 되었나. 그래. 나는 이제 이런 고민도 즐겁다.

사진 찍기를 좋아하고 독서를 좋아하는 나는 일상의 순간순간을

SNS에 올려 친구들이나 지인들과 공유하였다. 본디 공유하는 공간이지만 그들의 뚫린 가슴을 조금이라도 위안할 만한 내 이야기로 공들여 가꾼다. 그들 또한 늘 나의 SNS를 주목하고 잠시 잠잠하다 싶으면 왜 요즘엔 소식이 뜸하냐고 물어 온다. 어떤 사람들은 이런 것이 남에게 보여 주기 위해 꾸민 행복이라고 하지만, 적어도 내겐 내 속의 우물을 퍼내 옆 동네 마른 가슴을 적시기 위함이다. 내가 요즘의 나 자신에게 수없이 물어본 결과 나의 삶은 더할 나위 없이 풍요롭다.

원래의 나도 이렇게 활달하고 열정이 많은 여자였을까? 답은 "NO"다.

나는 연애엔 숙맥이었으며 별로 남의 눈에 띄지 않는, 수수하기 이를 데 없는 여자였다. 더 옛날을 돌아보면 학창 시절 나는 귀가 훤히 드러나는 단발머리에 그때 유행하던 감색의 중산복만 입고 다녔고 공부 외에 다른 것에는 별 관심이 없었다. 고등학교를 졸업할 때까지 로션이 무엇인지 핸드크림이 무엇인지도 모르고 살았다. 북방의 겨울바람은 살을 에이도록 맵짰고 봄이 되어도 쉬이 부드러워지지 않았다. 내 얼굴이나 손등은 감자 껍질처럼 거칠었지만 나는 뭘 발라야 한다는 것조차 모른 채 그렇게 성장했다. 그런 내게 미적 감각이라고는 있을 수도 없었다. 머리를 기른 적이 있었느냐고. 그것도 아주 까마득하다. 중학교에 막 올라갔을 때, 길게 길렀던 긴 머리를 단발로 치고 나니 어색해서 거울을 들여다보고 또 보고 있었는데, "학생이 무슨 멋을 부리냐." 하는 아버지의 불호령에 예뻐지고 싶다는 생각을 아예 접었었다.

그때부터 멋하고는 십만 팔천 리 담을 쌓고 살아온 세월이었다.

상하이에서 근무한지 2, 3년쯤 되었을까.

크리스마스가 다가오자 사장님이 크리스털 잔을 사서 외국인 바이어 사무실에 크리스마스 선물로 가져다 드리라고 한 적이 있었다. 나는 그것이 무슨 뇌물을 갖다 바치는 거라도 되는 것처럼 기겁을 하고 죽어도 못 하겠다고 거절했고, 나보다 몇 살 어린 상하이 젊은이가 들고 가 선물하고 왔던 기억이 있다. 이렇게 나는 숫기조차 없었다.

하지만 사회에서의 배움은 참으로 신기해서 나를 점차 내가 모르는 나로 변하게 했다. 이것이 성숙의 또 다른 단계라고 표현해도 괜찮을까. 숨겨왔던 자아의 성숙이라 해 두자. 그때부터 나도 몰랐던 내 모습이 터져 나오기 시작했다. 자유를 추구하는 물병자리의 특성이 그때부터 나타나기 시작했는지 나는 사람 만나는 걸 좋아하고 새로운 것에 대한 욕구라든가 호기심이 강해졌다. 처음 보는 음식이라든가, 처음 가보는 도시, 처음 만나는 사람, 나는 그런 것에 대해 거부감 없이 즐길 줄 알게 되었다. 학창 시절엔 말도 한 마디 한 적 없던 동창들과도 이제는 스스럼없이 친구가 되었다.

친구들은 가끔 "넌 학창 시절엔 우리한테 눈길도 주지 않았지, 곁에 가기도 무서울 만큼 도도했잖아."라고 하지만 그땐 책 속에 머리를 박고 공부만 죽어라고 해 댔으니 제일 가까운 친구가 연애를 하는 것도 그 친구가 고백을 해서야 알았었다. 요즘이야 SNS 동창 그룹에서 동창들이 날 반장으로 추천할 만큼 활약 중이다. 이렇게 나는 내성적이고 못난 새끼 오리에서 끼와 열정이 넘치는 팔방미인으로 변신 중이다.

산산이 부서진 꿈

나는 흑룡강성의 작은 시골마을에서 태어났다. 맑은 도랑물이 마을
의 곳곳을 흘러 여름에는 그곳에서 물고기도 잡고 겨울이면 꽁꽁 얼어
붙은 강판에서 썰매도 타고 스케이트도 탔다. 비가 내리면 온 마을을
휘감아 돌던 도랑물이 내 허리만큼, 어깨만큼, 얼마 뒤엔 키를 훌쩍 넘
어 부풀어 올랐다. '개천에서 용 난다'는 속담의 뜻을 어렴풋이 알게
될 때부터 나는 꿈을 꾸었다.

가르치지 않아도 저절로 물길을 내어 부풀어 오르는 물을 보고 있으
면 마음은 어디론가 먼저 달려가고 있었다. 나는 앞으로 살아갈 세상
에 대하여 생각하고 또 생각했다. 운동장에서 친구들과 금긋기를 하
며 놀다가 문득, 높다란 하늘에서 날아가는, 손가락만큼 작게 보이는
비행기를 보면 "비행기다!" 하고 흥분해서 소리 지르며 비행기가 내 시

야 속에서 완전히 사라질 때까지 달렸다. '나도 언젠가는 비행기를 타고 멀리, 네온사인이 반짝이고 고층빌딩이 즐비한 큰 도시로 가서 살 수 있을까?' 언젠가는 저 먼 곳으로, 내가 달릴 수 있는 가장 먼 곳까지 달려갈 꿈을 꾸었다.

그때 내 가슴이 마구 뛰고 있었다.

내 아래로 여동생만 둘 있고 보니 어른들은 내게 맏딸로서의 권위를 충분히 세워주셨다. 나는 항상 동생들보다 먼저였다. 공부를 잘하다 보니 집안의 기대와 사랑도 듬뿍 받으며 자랐다. 할아버지와 아버지의 아침밥 그릇에 들어가는 생계란 대우를 나도 같이 받았다. 권위가 있으면 책임과 의무도 같이 하는 법이다. 나는 늘 내가 출세해서 가문을 빛내야겠다는 '사명감'을 지니고 살았다. 나에겐 꿈이 있었으니까.

할머니, 할아버지, 어머니, 아버지 그리고 늦게 시집을 간 막내 고모까지 해서 식솔이 여덟이나 되었지만 농사일을 할 수 있는 일꾼이라곤 아버지와 할아버지뿐이어서 늘 가난했다. 할머니는 어머니가 시집오기 전부터 몸이 아프셨고, 어머니는 내가 초등학교 4학년에 다닐 때 갑자기 이상한 병에 걸려 죽을 고비를 겨우 넘겼다. 나중에야 들었지만 병명이 말초신경마비증이라고 했다. 정신은 멀쩡한데 손가락 끝, 발가락 끝에서부터 온몸으로 서서히 마비 현상이 오는 병이었다. 그 병을 앓고 난 뒤부터 어머니는 바깥일을 할 수 없게 되었다.

나는 집안 일손을 조금이라도 덜어 주려고 모내기, 추수, 새참 나르는 일을 초등학교 때부터 가리지 않고 도왔다. 여름에는 도랑에 가서 빨래를 하고 겨울이면 큰 대야에 물을 수십 번씩 갈아가며 겨울 빨래를 했다. 그러나 어른들은 내게 적어도 꿈을 꿀 시간은 얼마든지 지켜주려고 노력했다. 어른들이 지켜 주었던 나만의 시간, 나는 책을 읽었다.

술래잡기도 하고 배구도 하고 제기차기도 하며 놀 수 있었지만 책만 있으면 모든 게 다음으로 미뤄졌다. 어디서 났는지는 모르지만 방바닥에 굴러다니는 〈삼국연의〉며 〈수호전〉, 〈서유기〉, 〈홍루몽〉, 모파상의 〈여자의 일생〉을 문학이 뭔지도 모르는 시절에 다 읽었고 친구 집에 고무줄놀이를 하러 갔다가도 소설책이 보이면 고무줄놀이는 뒷전인 채 책에 빠져들었다.

난 공부가 재미있었고 학교 가는 일이 신났다. 누구보다 아침 일찍 일어나서 밥을 먹고 학교 가면서도 늘 늦다고 엄마한테 짜증을 부렸고 제일 먼저 학교에 가서 교실 문을 내가 열어야 직성이 풀릴 만큼 성격도 급했다. 시골사람들은 단순하다. 공부만 잘하면 최고 대우를 해주었다. 나는 공부를 열심히 해서 늘 일등을 했기에 가족들, 친척들, 선생님으로부터 사랑을 독차지했다.

"농사꾼이 안 되려면 출세해서 시내에서 살아야 되니라."

할머니는 입버릇처럼 얘기하셨다.

"뼈 빠지게 농사 지어 봤자 쌀값이 몇 푼이나 되냐, 너희는 도시 가서 살아라."

할아버지도 농사일에 굳은 어깨를 펴지도 못하시고 덧붙였다.

나는 할아버지의 굳은 어깨를 보상하기라도 하듯 내 어깨를 폈다. 그럴게요. 수천 번 그러겠다고 대답했다. 하지만 내가 성공하고 싶었던 이유는 그들의 기대뿐만이 아니라 나의 기질적인 이유도 있었다. 어디까지나 나는 꿈꾸는 아이였으므로, 내가 무엇을 할 수 있을지 모를 때에도 나는 내가 원하는 대로 살게 될 거라고 삶에 주문을 거는 방법 하나만은 알고 있었던 것이다.

한치 앞도 모르는 게 인생이다. 앞으로 무엇을 하며 살지 아는 사람이 어디에 있겠는가. 하지만 나는 주문을 걸었다. 할머니의 눈을 보면서, 할아버지의 어깨를 보면서, 아버지와 엄마의 손을 보면서, 나의 그림자를 보면서 주문을 걸었다. 지금 이것은 겨우 나의 시작이니까. 어깨를 펴고 당당하게. 앞으로 무엇을 얻게 될지 미리 알아서 뭘 하겠는가. 그것은 살면서 자연히 알게 될 것이다. 그것은 마음이 알려 줄 것이다.

다만 내가 그때 선택할 수 있는 경우의 수는 그다지 많지 않았다. 그때 돈도 없고 비빌 언덕도 없는 시골 아이가 출세할 수 있는 유일한 길은 공부를 잘해서 대학에 가는 것이었다. 대학을 졸업하면 나라에서 일자리를 배치해 주었으니까. 월급을 타는 월급쟁이, 도시 사람이 되는 것이다. 오로지 이것이 진리였다.

　중학교를 졸업하고 고등학교에 입학할 때 나는 우리 현성의 고등학교를 가지 않고 다른 현성에 있는 꽤 이름 있는 조선족 고등학교에 입학했다. 그 학교를 가면 좋은 대학에 입학할 수 있다는 핑크빛 희망을 품고.

　3년 동안 집을 떠나 타향에서 기숙사 생활을 하면서 열심히 공부했다. 드디어 대학 입시는 코앞에 닥쳐오고 두근거리는 마음으로 대학 지원서를 쓸 때까지만 해도 나의 마음속은 푸른빛이었다. 선생님이 되는 게 꿈이었던 나는 사범대를 지원했다. 내 꿈의 터전이 될 사범대는 등록비도 싸다는 점에서 내가 선택할 수 있는 최상의 선택이었다. 나는 내가 원하던 베이징의 사범대에 입학을 해 훗날 학생들을 가르치는 선생님의 모습을 머릿속에 그려 보며 마지막까지 공부에 미쳤다.

　그러나 대학 입시를 치는 날 나는 시험을 망쳤다. 우리 학교에는 인간쓰레기(이런 비유는 타당치 않지만 나는 정확한 단어를 찾지 못하겠다)가 있었다. 그 친구는 나이가 우리보다 적어도 일여덟 살은 많았는데 누구도 감히 건드릴 수 없는 망나니였다. 한 학기에 한두 번이나 수업을 나올까 말까 하지만 학교에서는 어쩌지 못했다. 그가 평생 우리 고등학교를 다닌다 해도 학교에서는 아마 그러라고 했을 것 같다.

그런데 대학 입시 수험생 번호표를 받고 보니 그 친구가 마침 나의 뒷자리였다. 첫 시험을 칠 때부터 나는 이미 그 친구의 영향을 받고 있었다. 쪽지를 뿌리면서 커닝을 시도하고 보여 달라는 눈치를 적나라하게 드러내고 있었다. 나는 집중을 할 수가 없었다. 내가 제일 자신 있는 일어과목 시험을 치러 들어가기 전에 교무 주임 선생님이 날 불렀다. 그 친구가 올해는 어떻게든 대학에 붙고 싶어 하니 내가 알아서 적당히 시험답안을 보여주라고 했다. 너무 분하고 억울해서 눈물이 샘솟듯이 터져 나왔다. 학교에서는 그런 인간쓰레기는 대학에 보내고 싶고 나는 그냥 아무 대학에나 가도 괜찮으냐고 울면서 따졌다. 지금에 와서 생각해 보면 학교에서도 그 친구를 더 이상 우리 학교에 머물러 있게 하고 싶지 않아서였을 것이다. 나는 감정을 진정 못하고 울다가 시험을 시작하는 종이 울린 지 한참이나 되어서야 수험장에 들어갈 수 있었다. 조금만 더 늦었으면 시험자격을 취소당할 뻔했다. 하지만 너무 분하고 손이 떨려 글씨를 쓸 수가 없었다.

결국 나는 내가 지원했던 제1지망의 대학에 입학하지 못했다. 이제 나에겐 선택의 권리가 없었다. 어느 대학에서 입학 통지서가 오든 거기로 가야 했다. 그렇게 되어 가게 된 것은 본과 대학도 아닌 3년제 전문대였다.

대학 생활은 재미가 없었다. 등록비도 만만치 않았다. 고향에서 농사지어 나의 뒷바라지를 하시는 부모님께 미안했다. 얼른 대학을 졸업하고 직장을 찾아 돈을 벌고 싶었다. 그러던 차에 마침 고등학교를 졸업하고 대학을 포기한 채 상하이로 나가서 직장 생활을 하는 외사촌 동생과 연락이 되었다.

새로운 운명은 이미 시작되고 있었다.

나를 부르는 그 곳, 상하이

외사촌 동생은 집안 형편이 넉넉하지 않아 고민 끝에 대학 입시를 포기하고 고등학교만 졸업한 채 상하이로 가서 직장 생활을 하고 있었는데 한 달 수입이 천 위안이라고 했다. 대학교 다닐 때 한 달 생활비가 삼백 위안 가까이 되었는데 천 위안을 번다니, 이건 정말 엄청난 숫자였다. 물가가 비싸서 천 위안을 벌어도 별로 쓸 게 없다고 동생이 말했지만, 난 이미 결심을 굳혔다.

나는 부모님께 학교를 그만두고 상하이로 가겠다고 말씀을 드렸다. 선양에서 상하이로 가는 기차역에서 친구들과 작별 인사하며 눈물바다를 이루던 플랫폼은 아직도 있으려나. 나는 친구들의 축복과 부모님께 미안한 마음을 뒤로하고 '상하이 드림'을 품은 채 장장 스물여덟 시간이 걸리는 기차를 타고 상하이로 왔다.

대학 기숙사 생활을 할 때, 상하이에서 온 친구가 상하이는 눈이 번쩍 뜨일 정도로 번화한 도시라고, 다른 도시와는 비교가 안 될 만큼 크고 번화하고 문명하다고 수차례 귀띔을 했지만 막상 눈앞에 직접 펼쳐진 상하이란 도시는 내 상상을 초월했다. 너무 번화하고 넓고 높았다. 이제부터 이런 대도시에서 산다고 생각하니 가슴이 부풀어 올랐다.

　현실과 꿈은 늘 거리가 있는 법. 그 넓은 도시에서 동생과 내가 살 집은 2평 남짓한 공간이 전부였다. 단칸 침대 두 개를 가지런히 맞붙여 놓고 살림살이는 침대 밑에 두었다. 그리고 남는 공간은 우리의 밥 먹는 자리였다. 주방은 바깥에 여러 집이 공동으로 쓰는 곳이 있었고, 화장실은 공공 화장실을 써야 했고 빨래터도 따로 있었다. 11월의 상하이는 유난히도 비가 많이 내려 빨래는 마르지 않았고 갈아입을 옷이 없었다. 햇빛은 좀처럼 우리가 사는 곳을 비춰 주지 않았다.

　그해 겨울, 옆집에 사는 노래방에서 웨이터를 하던 친구들의 히터가 없었다면 우린 아마 젖은 옷을 입고 다녀야 할지도 몰랐다. 동생은 지금도 내가 비를 맞으며 빨래를 하던 모습이 늘 생각난다고 한다.

　네온사인으로 영롱한 상하이의 밤은 불야성을 이루었고 거리에는 밤늦도록 차들이 오갔다. 젊음의 활력으로 차고 넘치는 도시였다. 하지만 이 모든 것은 우리와는 무관했다. 우리가 느낄 수 있었던 건 오로지 싸늘한 늦가을의 비바람뿐이었다. 늦가을의 비바람은 고향 겨울의 북풍보다도 더 음산하게, 우리의 몸과 마음까지 꽁꽁 얼어붙게 했다. 우리는 밤이 되면 일인용 전기담요를 깔고 서로 부둥켜안고 잠이 들었다.

상하이는 이 도시에서 꽃 한번 피워보려는 장미처럼 여린 꽃망울을 부풀린 나와 동생에게 사정없이 비바람을 휘날렸다. 우리는 부서지고 꺾어졌다.

컬러텔레비전도 없던 어린 시절, 흑백텔레비전으로 보았지만 정말로 재미있었던 드라마 '상하이탄'. 중절모를 쓰고 시가를 피우는 주윤발의 모습은 상하이에 대한 나의 첫 인상이었다. 꿈과 야망을 불러일으키는 상하이, 상하이탄은 얼마나 많은 사람들에게 로망의 도시였을까. 나는 상하이탄 드라마의 주제가를 정말로 즐겨 불렀다. 그 노래를 너무나 즐겨 불러서 나중에 상하이랑 인연이 닿지 않았을까 하는 생각이 들 정도다. 그 노래는 아주 힘찼고 내게 광활한 세상으로 나아가라고 충동질했다. '파도는 물결치고 파도는 흐른다. 만리를 도도하게 흘러가며 강물은 영원히 쉬지를 않는다. 세속의 모든 것을 다 씻어내고 강물과 섞여 도도히 흐른다.' 하지만 돈도 없고 꿈도 조각난, 하루를 살아가기도 힘든 20대 초반의 내가 상하이탄에 서서 물살이 거센 황포강을 마주했을 때 상하이탄 노래를 부를 때의 감동 따위는 전혀 고사하고 무정한 상하이에 대한 원망과 절망뿐이었다. 20대의 왜소한 시골 여자가 상하이탄에서 삶을 개척해 나가기엔, 상하이는 결코 녹록치 않았다.

인터넷이 보급되기 전이라 어디에 가서 구직 광고를 내야 하는지도 몰랐다. 구직 소개소가 있다고는 하지만 그런 곳엔 소개비를 많이 내야 했다. 일자리도 못 찾고 갖고 온 돈은 곧 거덜이 날 지경이었다. 동생은 자신의 외사촌 오빠를 졸라 나를 전자 제품 부속 무역을 하는 상하이 회사에 소개했다.

첫 출근의 기억. 내가 타기도 전부터 버스는 콩나물시루 속 같이 빼곡했었다. 버스에 겨우 올라탔는데 밀치고 닥치는 인파 속에서 내 핸드백은 바닥에 떨어졌고 안에 넣었던 컵은 손잡이가 깨지고 말았다. 상하이에서의 첫 출근은 이렇게 부산하게 시작되었고 그 후에도 매일 그런 날의 연속이었다. 회사에 가면 상하이 아줌마들은 상하이 말로만 이야기 했는데 나는 한 마디도 알아들을 수가 없었다. 그때까지만 해도 상하이 사람들은 배타성이 굉장히 강했고 만다린을 별로 쓰지 않았다. 나는 외국 땅에 버려진 것 같았다.

점심에 도시락을 싸서 다녔는데 반찬에서도 내가 상하이 사람이 아니라는 것이 현저하게 차이가 났다. 그녀들이 싸 오는 도시락에는 왕새우가 기본으로 들어 있었고 고기반찬, 생선이 꼭 있었다. 나의 도시락 반찬은 매일 별반 차이가 없이 두세 가지의 야채 볶음 뿐이었다. 그들은 내가 생선이나 고기를 좋아하지 않는다고 너무 의아해했지만 돈이 없어서 그랬다면 그들은 과연 이해를 했을까.

어쩌다 웨이터를 하는 이웃집 친구가 나와 동생을 데리고 큰길 옆에 있는 조선족 식당으로 데려가 된장찌개라도 사 주는 날이면 우리에겐 그날이 곧 명절이었다. 이상하게도 영양 같은 건 전혀 따질 여유도 없이 따분한 반찬만 먹었음에도 불구하고 나는 여위기는커녕 통통하게 살이 올랐다.

다이어트를 한다는 명분으로 나는 타이완가수 짱후이메이의 레코드를 사다가 쉼 없이 들으면서 바닥에서 뜀박질을 했다.

'너만 생각하면 난 즐거워, 마치 잠자리가 풀잎의 푸르름을 본 듯이…….', '전혀 힘들지 않아, 난 이미 사흘 낮 사흘 밤을 뛰었지만. 내 지금의 심정은 사이다를 마셔도 취할 것 같아, Oh…….'

보배 섬 타이완에서 자란 소수 민족 출신 짱후이메이의 목소리는 산을 닮아 우렁차고 여운이 깊다. 가사 또한 슬프지 않고 경쾌한 것들이라 젊음의 격정을 분출하기에 최고로 잘 어울렸다. 이 곡조에 맞춰 노래를 따라 부르다 보면 잠시나마 현실의 고달픔을 잊고 젊음의 활기를 되찾을 수 있다. 짱후이메이의 노래는 가장 어려웠던 시기에 나와 동생을 지탱해 준 정신적 지지대였다. 그래서 올해 타이완에 가서 공교롭게도 짱후이메이의 고향을 지날 때 나는 너무 설렜고 마음속으로 그녀에게 수십 번이고 고맙다는 인사를 했다.

적은 월급으로는 명절을 보내는 것도 사치였다. 구정이 되었지만 그동안 번 돈은 생활비로 다 써버렸고 집에 갈 차비는 없었다. 일 년에 한 번, 온 가족이 모여서 쇠는 큰 명절인 구정에, 집에 가서 설을 쇠지 못하는 것도 가족에게 미안했는데, 혹시 내가 굶기라도 할까 봐 할머니가 걱정을 많이 하셨는지 아버지가 돈 500위안을 우편으로 보내 주셨다. 그 돈으로 혼자 설을 쇠었다. 미안했다. 이게 아닌데, 돈 벌려고 나온 건데 집에서 돈을 보내오다니.

  회사를 옮겨야겠다고 생각했다. 일단은 집에서 가까운 곳으로 바꾸면 교통비라도 절약할 수 있을 것 같았다. 그렇게 해서 월급도 몇 백 위안 더 받고 걸어서 출근할 수 있는 거리에 있는 회사를 찾았다. 한국 의류 회사였다. 처음엔 신용장이 뭔지 FOB 가격이 뭔지 알 수 없었지만 하나하나 배웠다. 업체 담당자와 통화하면서 모르는 것이 있으면 물었다. 뭐든지 열심히 배웠다. 점점 일에 재미가 붙었다. 그런데 무리를 했는지 어느 저녁엔 자는데 배가 아팠다. 잠결에 소변이 마려운 거 같아 화장실을 다녀왔는데도 여전히 아팠다. 통증이 온몸으로 전해 오며 앉지도 서지도 못할 지경이었다. 이마에서 땀이 비 오듯 흘렀다. 병원에 가야 하는데 돈이 없었다. 거기다 한밤중에 어느 병원으로 가야 할지도 몰랐다. 주인집에 찾아가서 문을 두드렸다. 돈을 삼백 위안 빌려서 택시를 잡고 병원으로 갔다. 급성 담결석 같다고 했다. 링거를 세 개나 맞아야 했다. 통증은 여전히 심해서 의자에 앉아 있을 수가 없었다. 두 번째 병을 맞을 때에야 통증이 사라지기 시작했고 나는 겨우 잠들 수 있었다.

1998년, 영화 '타이타닉'이 중국 영화계를 강타했다. 상하이 전체가 들썩들썩했다. 영화관마다 타이타닉의 포스터가 나붙었고 사람들의 화제는 그 영화뿐이었다. 나보다 대여섯 살은 많은 회사의 미스 김 언니는 두 번이나 그 영화를 봤다면서 신이 나서 줄거리를 얘기했다. 나도 이 영화만은 꼭 봐야지 하고 생각했다. 그런데 티켓 값이 너무 비쌌다. 먹고살기도 힘든 처지에 15위안씩이나 주고 문화생활을 즐길 여유가 우리한텐 없었다. 결국 나와 동생은 포스터만 뚫어져라 바라보다 말없이 집으로 발길을 돌렸다. 그게 한이 되었다. 상하이 생활에서 잊지 못할 가슴의 응어리가 되었다.

그렇게 십여 년이란 세월이 지났을 때 '타이타닉'은 3D로 재개봉해 다시 상하이를 찾아 주었다. 만사 제쳐놓고 동생과 함께 영화관으로 갔다. 전에 비디오테이프로 본 적이 있었지만 스크린에서 영화의 첫 장면을 보며 나는 눈시울이 뜨거워졌다. 영화는, 특히 타이타닉은 꼭 영화관에서 봐야만 한다. 영화가 클라이맥스로 치달으면서 잭과 로즈가 생사 이별을 할 때 나는 곁의 사람들을 의식할 새도 없이 엉엉 소리 내어 울었다. 잭과 로즈의 애절한 사랑과 비통한 죽음, 타이타닉호의 참담한 비극에 대한 감정에 십여 년 동안 맺혔던 나의 한이 무수히 교차

했다. 나는 울음을 멈추지 못했다.

　상하이에도 봄이 가고 여름이 왔다. 나는 출장도 적극 다니면서 회사를 열심히 다녔다. 의류 무역은 다행히 학력이나 졸업장보다는 경험이나 노하우를 더 알아주는 업종이라 자신이 노력만 하면 시간이 지날수록 월급도 계속 올라갔고 생활 수준도 점점 나아졌다.

　상하이에도 친구들이 하나둘 늘었다. 상하이에서 대학을 다닌 친구들과 대학을 졸업하고 상하이로 나온 친구들이 찾아들었다. 덕분에 나는 덜 외로워졌고 정보도 더 많이 알게 되었다. 인터넷이 놀라운 속도로 보급되면서 일자리 찾기가 쉬워졌다.

　큰 도로라고는 연안고가도로뿐이던 상하이에 남북고가도로며 포동과 포서를 잇는 대교가 몇 개나 더 놓였다. 농촌이던 포동은 어느새 경제개발신구, 금융 회사가 들어찬 지역으로 발전했다. ‘만다린을 씁시다!’라는 구호가 병원이며 큰길에 나붙었고 상하이 사람들도 상하이 말보다는 만다린을 쓰기 시작했다. 세월은 누가 보고 있지 않아도 스스로 그렇게 흘러갔다.

　출장이나 여행을 갔다가 비행기가 상하이공항에 착륙할 때 스피커에서 흘러나오는 ‘Go home’이라는 노래를 들으면 ‘아, 집에 도착했구나.’ 하는 생각이 절로 들었다. 이제 상하이는 엄연히 나의 두 번째 고향이 된 셈이다. 지금도 난 노래방에 가면 ‘상하이탄’ 노래를 즐겨 부른다. 늘 힘이 솟구치게 하는 비장한 노래, 내가 상하이탄에서 살고 있음을, 나의 존재를 시시각각 상기시켜 주는 내 삶의 노래다.

나의 색다른 시집살이

  나의 남편은 홍콩 사람이다. 남편은 8남매 중에서 막내인데 남편을 제외한 일곱 형제와 시어머니는 모두 홍콩에서 살고 있다. 시어머니는 내가 결혼할 무렵에 이미 여든이 넘으셨다. 자식들을 키우시느라 노심초사한 얼굴에는 세월의 흔적인 노인반점과 주름살이 가득하셨지만, 나이든 모습을 전혀 느낄 수 없을 만큼 에너지가 넘치셨다. 두 눈엔 여전히 정기가 밝고 정정하시고, 식사 자리에서도 아들 며느리들이랑 같이 와인이나 양주를 드셨다. 시어머니는 무릎이 좋지 않아 늘 지팡이를 짚고 다니셨는데 그 연세에도 어느 자식한테도 신세지지 않는다며 혼자서 사셨다. 시어머니는 손녀를 만난 듯이 내 손을 쓰다듬거나 내 머리를 쓰다듬어 주셨다. 연세로 보면 나의 할머니보다 몇 살 연상이어서 나에게는 시어머니라기보다는 할머니처럼 느껴졌다.

나는 구정 때나 시어머니 생신 같은 경우에 홍콩에 가서 며칠 묵다 올 뿐, 평소에는 상하이에서 지내다 보니 시집살이란 걸 경험해 볼 새가 없었다.

시어머니는 조주潮州 출신으로 강한 남존여비사상을 갖고 계신 분이었다. 그런 사상은 아들과 며느리에 대한 사랑에서 확실하게 드러났다. 시누이들이 시어머니네 집에 가면 주방에서 일을 해야 하지만 며느리들이 가면 시어머니는 며느리들을 침대에 고이 모셔 앉히곤 모든 걸 당신이 혼자서 하신다. 심지어 설날 세뱃돈 주실 때도 딸들한테 주는 돈과 아들, 며느리한테 주는 금액이 달랐다. 거기다가 우리 남편은 막내여서 우리를 향한 시어머니의 사랑은 남달랐다.

출산 한 달 전부터 나는 홍콩에 있었다. 출산 전엔 막내 시누이네 집에 있다가 출산 후엔 둘째 시누이네 집에 머물렀다. 마침 둘째 시누이네 큰아들이 미국으로 장기간의 출장을 간 덕분에 나와 딸아이는 조카의 방을 차지하고 있게 되었다.

시어머니는 버스로 서너 정거장 떨어진 곳에 계셨는데, 매일 아침 7시면 한 손에는 과일 꾸러미를 또 다른 한 손에는 지팡이를 잡은 채로 아침 딤섬을 사서 들고 오시곤 했다. 물론 난 시어머니가 언제 오셨는지도 몰랐고, 시어머니가 우리 방에 들어오시면 잠깐 눈을 뜨고 인사만 하고는 천근만근 무거운 눈꺼풀을 올릴 방법이 없이 또 다시 깊은 잠에 빠졌다. 아이를 낳고 나니 왜 그렇게 잠도 많이 오던지. 실컷 자고 나서 거실에 나가 보면 시어머니는 혼자서 거실 소파에 앉아 계셨다. 그리고는 내가 나가면 곧바로 일어나셔서 나에게 딤섬을 데워 주셨다. 내가 맛있게 먹으면 시어머니는 둘째 시누이가 날 굶긴 걸로 생각을 하고 '왜 잘 먹는데 이런 것도 안 사주냐.'고 몇 번이나 둘째 시누이에게 따져 물었다. 둘째 시누이는 금세 울상이 되어 몇 마디밖에 할 줄 모르는 보통말로 나에게 하소연하곤 했다. 출산 전부터 나에게 매일 아침저녁으로 제비집 수프를 끓여서 대접했던 둘째 시누이가 억울할 만도 했다.

한번은 잠에서 깨어나니 시어머니가 화난 얼굴로 소파에 앉아 계셨다. 무슨 일이냐고 둘째 시누이에게 물었더니 시어머니가 우리 딸아이에게 선물할 옥을 사러 가겠다고 시누이보고 같이 가서 봐 달라고 했는데, 시누이가 일이 있다고 다음날에 가자고 했기 때문이라 했다. 시어머니는 시누이가 가기 싫어서 그런 줄 알고 화를 내고 계셨던 거였다. 결국 시누이는 그날 점심 때 시어머니를 모시고 옥을 샀고, 오후에 시어머니는 밝은 얼굴로 옥과 홍뽀우紅袍를 우리 딸아이의 머리맡에 두셨다. 시누이의 말에 의하면 시누이가 아들 둘을 낳았을 때, 시어머니는 선물은커녕 한 번도 외손자 보러 오신 적이 없다고 했다.

시어머니는 딸들과 며느리들에 대해선 입장이 이토록 분명하신 분이었다. 나는 우리 시어머니의 딸로 태어나지 않고 며느리가 된 것에 대해 정말로 감사하게 생각했다.

두 번째로 내가 홍콩에서 오래 머물렀던 때는 시어머니가 90세가 되던 해였다. 홍콩에서의 안락한 생활은 서서히 막을 열었다. 매일 아침 10시에 눈을 떠서 11시쯤에 '얌차喝茶' 하러 갔는데 이른바 아침 식사다. 아침 식사를 끝내고 집에 들어와서 잠깐 앉았다가 산책하러 나갔다. 오후에는 또 맏동서나 셋째 동서 혹은 둘째 시누이가 아니면 막내 시누이 중 한 사람이 꼭 얌차하자고 전화가 왔다. 저녁은 둘째 시누이네 집에서 먹거나 혹은 둘째 시누이네 가족과 막내 시누이네랑 같이 저녁 9시부터 할인하는 홍콩식 샤브샤브打边炉를 먹으러 갔다. 아무튼 시집 부스러기가 많으니 내가 홍콩에서 손가락 하나 까딱 안 해도 입에 거미줄 칠 염려는 없었다.

시어머니는 날 걸레질 하나 못 하게 하셨다. 홍콩에 있은 지 며칠 만에 한국에 사는 막내 동생의 전화를 받았다. 시집살이라고는 해보지 않은 이 큰언니가 시집살이 고생 좀 하겠지 싶어서 제 딴엔 가르침을 주겠다고 했다. 그런데 내가 "우리 시엄닌 날 걸레질 하나 못 하게 하고 빨래도 전부 혼자서 하신다."고 했더니 동생이 "아이구, 우리 언니 팔자 늘어졌다, 발바닥에 털 나겠네." 했다. "그래, 이제 서서히 원시인으로 퇴화되고 있는 중이다." 하고 대답했더니 부러워 죽겠다고 했다.

말은 이렇게 하지만 고이 앉아 먹고 노는 것도 고역이니 나도 어찌 마음이 불편하지 않았겠는가. 고민 끝에 어느 하루는 밀걸레를 들고 바닥을 닦으려고 했다가 시어머니의 완강한 만류에 의해 저항하다 실패로 돌아갔다. 그 후로는 아예 단념하고 그냥 놀고먹는 놀부가 되고 말았다.

시어머니는 가끔 밥을 사 주겠다며 나를 식당에 데려가시는데, 식사를 마치고 내가 돈을 내려고 하면 한사코 뿌리치고 당신이 내셨다. 상하이로 돌아올 때면 뭐든지 다 챙겨 주셔서 나는 늘 바리바리 싸서 들고 와야 하는 행복한 고민거리가 생겼다.

시어머니는 당신이 움직일 수 있는 한은 자식들 신세를 지려고 하지 않으신다. 나도 시어머니처럼 늙어서도 자식한테 신세를 지지 않는 부모가 되고 싶다. 우리 또래의 친구들을 보면 지고 가야 할 짐이 너무 많다. 시집 부모, 친정 부모 모두가 자식들에게 기대려고 한다. 우리 부모님 세대는 시부모 모시고 시동생, 시누이 장가 시집보내며 살아왔기에, 노후를 자식들과 같이 보내는 게 당연하다고 여기며 살아오셨을 것이다. 요양원에서 노후를 보내라고 하면 펄쩍 뛰며 천하의 불효자식이라고 야단을 치시진 않아도 배은망덕하다고 섭섭해 할 거다.

하지만 나의 자식들 세대는 전혀 부모와 함께 살 생각 같은 건 없을지도 모른다. 세대 차이, 문화 차이를 거론하며 자신들만의 생활을 원

할 것이다. 독자독녀 시대라, 한 부부가 양가 부모를 다 모신다는 것
도 무리일 것이다.

　시어머니에게서 노후를 사는 법을 터득한 나는 나답게 더 멋지게 사
는 법을 연구하기로 했다. 지금부터 노후를 재미있게 보낼 연습을 해야
겠다.

잃어버린 꿈을 찾아서

또래들과 비슷한 나이에 결혼도 하고 아이도 낳을 즈음, 상하이에 집을 사는 열풍이 불었다. 집을 사야 체면이 서고 상하이에서 발붙이고 살아갈 수 있을 것 같았다. 친구들도 하나 둘 집을 사기 시작했고 집이 있고 없고에 따른 격차가 생기기 시작했다. 그 중 잘 나가는 친구들이 생기기 시작한 것이다. 발 빠른 친구들은 일찍이 집을 사서 상하이 호구까지 해결했다. '너희도 집을 사야지.' 하는 엄마의 지청구도 심해졌다. 열심히 일하는 수밖에 없었다. 열심히 일해서 부를 창조하는 것이야말로 성공한 삶을 사는 거라고 생각하던 나날이었다.

맞벌이 부부인 나와 남편은 보모를 구해서 아이를 보게 하고 열심히 일했다. 남편은 IT쪽 마케팅 일을 하기에 출퇴근 시간이 비교적 자유로웠다. 하지만 내가 하는 의류 무역은 매일 야근을 해야 했고 집에 앉아서 노트북 하나만 들고 메일만 확인하는 그런 일이 아니었다. 일일이 직접 뛰어다니며 눈으로 확인을 해야 했다.

회사에 몸을 판 것처럼 밤낮이고 주말이고 가리지 않고 일을 하는 나를 남편은 이해하지 못했고 가정에 충실하지 못하다고 늘 불만이었다. 실제로 나는 집에 식기가 몇 개 늘어나도 눈치를 못 챘고 주방에 들어서면 남의 집 주방에 온 것처럼 어설프게 헤맸다. 결혼 전엔 김치도 손수 담그고 반찬도 신경 써서 만들었는데 이젠 살림은 완전히 아줌마에게 맡겨 놓고 오로지 일뿐이었다.

일이 이렇게 되니 남편의 불만은 심해져 갔다. 회사에서는 어딜 나가도 대접 받았는데 집에 오면 난 아무 것도 모르는 사람이 되었다. 한번은 남편에게 전화가 왔다. 자기가 사다 놓은 재료 두 가지로 디저트를 만들어 놓으라고 했다. 그래서 물었다. 그걸 같이 넣고 만들라는 건지, 아니면 각각 따로 두 가지를 만들라는 건지. 그랬더니 남편이 하는 얘기가 아줌마에게 이대로 전달만 하면 된다는 것이었다. 너무 기가 막혔지만 그대로 전달했다. 아줌마도 나랑 똑같은 질문을 했다. 이렇게 되니 내가 정말 무기력하게 느껴졌다. 친구들이 다 '너는 똑똑해.'라고 해도 선생님이 '넌 바보야, 아무 것도 할 줄 몰라.' 하면 정말 그렇게 되는 것처럼. 나는 집에 오면 뭘 해야 할지 몰랐고, 회사 일에서 성취감을 찾을 수밖에 없었던 것이다.

문학에 대한 꿈 따위는 잊어버린 지도 오래였다. 한때 내가 문학소녀였나. 문학이 밥 먹여 주나, 문학 서적 같은 건 살아가는데 별 도움이 안 된다고 중얼거리며 기껏 뒤적거리는 책이라야 태교나 육아에 관한 것, 그리고 회사 생활을 어떻게 효율적으로 하는가 하는 따위의 책 몇 권뿐이었다. 현실은 늘 돈 문제에서 벗어날 수 없었다. 상하이에선 집을 사야 하고 돈이 없으면 살아갈 수가 없으니까. 돈이 없으면 아이를 학교에 보낼 수도 없고 병이 나도 병원에 갈 수가 없으니까. 도시는 이런 곳이었다. 친구들도 만날 여유가 없었고 만나는 사람들이라 해 봤자, 업무와 관련된 바이어 쪽이나 공장 측 사람들이었고 매일 하는 얘기라야 거기서 거기였다.

그러다 한국으로 출장을 가게 되었다. 거기서 우연히 옛 동창을 만났다. 고등학교 때 나랑 성적이 엇비슷했던 그 친구는 중국에서 대학을 다니다가 한국에 유학을 왔고 석사를 마치고 박사 학위까지 땄다. 그땐 이미 내로라하는 대기업에서 과장직을 맡고 있었다. 그 친구는 앞으로의 삶도 자신 있게 꿈꾸고 있었다. '너는 아직도 꿈을 꾸고 있구나.' 돌아오면서 나는 중얼거렸다. 그때 다시 내 가슴도 두근거렸다. 내 가슴 깊은 곳에서 어릴 적 우리 고향 구석구석을 돌던 그 물이 내 속에서 부풀어 오르고 있었던가. 나는 현기증을 느꼈다.

십여 년 전, 고등학교를 졸업할 때까지만 해도 우리는 거의 같은 출발섬에 있었는데 그 친구는 지금 완전히 다른 인생을 살고 있는 거였다. 나는 그 친구가 부러웠다. 그리고 오기가 생겼다. 이건 아니야, 이제부터 뭔가가 달라져야 돼. 나는 어렴풋이 내 가슴에 남아 있던 열정을 더듬고 더듬었다. 내 열정의 뿌리가 무엇이었는지 찾는 건 어렵지 않았다. 상하이로 돌아오는 길에 책을 한 아름 사 들고 집으로 돌아왔다. 메마른 가슴에 감수성이 되살아나라고 이해인 수녀의 시집도 사고 그 해 신춘문예 당선 소설집도 사고 김미경의 〈꿈이 있는 아내는 늙지 않는다〉라는 책도 샀다.

그때부터 나의 '꿈 찾기 프로젝트'가 시작되었다.

몸은 회사에 있었지만 나는 그때부터 문학을 찾기 시작했다. 공장으로 가는 버스 안에서, 출장 가는 공항 대기실에서 나는 책을 읽으며 책속에서 정신적 풍요를 얻었다. 하루라도 책을 읽지 않으면 허전하고 공허했다.

아줌마는 꿈이 없는가? 학창 시절엔 꿈도 많았지만 엄마가 되면 오로지 아이 생각뿐이다. 회사 가도 아이 얘기, 집에 와서도 아이 얘기, 모임에서도 아이 얘기뿐이다. 하지만 아줌마에게도 꿈은 있었다. 다만 생활에 지쳐 잠시 잊고 있었을 뿐이다.

나의 롤모델은 조앤 K.롤링이었다. 그녀가 써낸 해리포터 시리즈는 모든 사람들에게 위로와 큰 힘이 되었지만 작가가 되고 싶은 나 같은 사람에겐 더 큰 힘이 되었다. 물론 이것은 누구나 아는 사실이고 사실 나에게 영향력을 끼쳤던 건 그녀가 하버드대학에서 연설을 할 때의 여유 있고 재치 넘치는 멘트였다.

"세상을 바꾸는 데 마법은 필요하지 않습니다. 그 힘은 이미 우리 안에 존재하고 있으니까요."

그 이야기를 들으면서 '나도 언젠가는 하버드대학에서 연설을 할 수 있지 않을까? 그러려면 난 유명한 작가가 되어야겠지.' 하는 생각을 막연하게 했다. 내 꿈은 더 야심 차졌고, 나는 주위 사람들에게 스스럼없이 꿈에 대해서 이야기하는 나 자신을 발견했다. 그리고 신기하게도 책을 읽으면서 나는 당당해졌다. 더 이상 바보가 아니었고 남편 앞에서도 기죽지 않았다.

2011년 연말, 모두들 연말연시 회식으로 바쁠 때 H시에 사는 친구가 연락이 왔다.

"미란아, 오늘 절친들이랑 같이 밥 먹고 돌아오는 길에 너희는 꿈이 뭐냐고 물어봤더니 너무나 새삼스러워 하는 거 있지. 아줌마들이 애나 잘 키우면 되지 뭐 꿈같은 걸 먹고 살아야 하냐고. 이러는 거 있지."

이상할 것 없다. 대부분이 그랬다. 결혼하고 애 낳고 나면 그때부터 인생은 자기 것이 아니다. 육아에, 회사 일에 언제 자기의 꿈을 생각할 겨를이 있을까? 꿈이란 단어 자체가 너무 웃기고 생소한 단어가 되어

버린 지 오래다.

하지만 기억하라, 아줌마들이여! 자신을 사랑하고 가슴 뛰는 삶을 살아 보라. 우리에겐 충분히 그럴 자격이 있다.

뒤늦게 공부에 빠지다

　박경리 선생님처럼 '토지' 같은 대하소설을 쓰는 작가가 되고 싶었다. 그런데 뭘 써야 하는지, 어떻게 써야 하는지 알 수가 없었다. 대학을 다니고 싶었다. 대학을 중퇴한 나에겐 그것이 한이 되어버렸으니까. 내 이 절실한 소망을 잘 아는 친구가 물었다. "너 정말 공부하고 싶니?", "그래, 꼭 하고 싶어." 내 대답은 단호했다.

　그즈음 내 주위에는 박사 학위를 받고 대학교수를 하는 친구들도 있었고, 일본에서 박사 학위를 받고 상하이에 오자마자 상하이 호구를 해결하고 상하이의 유명한 병원에서 담당 의사가 된 친구들도 있었다. 하지만 내가 부러웠던 것은 그들의 학위나 졸업장이 아니었다. 공부를 통해 자신이 원하는 멋진 삶을 당당하게 살아가는 그들의 생활 방식이 부러웠다.

가장 하고 싶었던 건 공부였다. 나는 배움에 목말라 있었다.

남편이 툭하면 "돈 벌면 당신 공부부터 시킬 거야." 하고 농담 반 진담 반 얘기했던 기억이 떠올라 유학을 가겠다고 말을 꺼냈다. 그랬더니 남편도 남편이지만 딸아이가 펄쩍 뛰며 반대했다. 다시 곰곰이 생각해 보니 딸아이와 남편을 떠나 홀로 한국에서 4년 동안 공부를 한다는 게 쉽지만은 않을 것 같았다. 중도에 포기할 것 같았다. 이렇게 나의 꿈이 부서지나 싶었는데 마침 사이버대학이란 게 있다는 걸 알게 되었다. 나는 서둘러 한국사이버대학(현재는 숭실사이버대학)에 지원서를 냈고 입학을 했다. 이때부터 나는 공부와 일을 병행하는 삶을 살았다.

내가 그렇게도 하고 싶었던 공부를 다시 하니 너무나 즐거웠다. 나는 회사 일과 공부에 균형을 유지하는 법을 배웠다. 업체와의 식사는 가능하면 점심으로 하고 저녁엔 약속을 거의 잡지 않았다. 친구들과의 술자리도 꼭 가야 하는 것이 아니면 적당히 핑계를 대어 피했다. 저녁을 먹고 딸아이의 숙제를 봐 주고 피아노 치는 걸 봐 주고 얘기도 좀 나누고 하다 보면 시간은 훌쩍 열 시를 넘었다. 그때부터 나는 책상에 앉았다.

막연히 소설가를 꿈꾸던 나에게 방송문예창작학과의 과목은 우주처럼 넓은, 열린 공간이었다. 세상이 달라지는 느낌이었다. 모두가 잠든 고요한 밤중에 서재에서 수업을 들으며 나는 문학의 세계로 푹 빠져

들어갔다. 교수님들의 강의는 너무나 재미있었고 내가 몰랐던 무궁무진한 세상으로 나는 여행을 했다.

칠순이 다 되셨던 김광휘 교수님은 PPT 강의안 없이 직접 칠판에다 글을 쓰시며 강의를 하셨는데, 나는 마치 할머니한테 옛말을 듣는 것처럼 교수님의 재미있는 이야기에 푹 빠져버렸다. 베트남전쟁에도 참전하신 적이 있는 김 교수님은 풍부한 자신의 경력과 삶에 대한 통찰로, 누구한테도 구애받지 않고 무슨 이야기든 다 해 주셨다.

학과장이신 허혜정 교수님은 또 어떤가? 보기만 해도 학자의 기질이 다분한 허 교수님은 한 시간 반 수업 동안 자신이 알고 계신 지식을 우리에게 모두 쏟아 붓지 못하는 것이 한스러운 듯 수업이 끝날 때마다 아쉬운 표정을 지으셨다. 허 교수님은 학우들에게 '첫눈이 내리는 날, 같이 떡볶이를 먹고 싶은 교수님'으로 뽑힐 만큼 인기가 좋았다. 최옥정 교수님, 새색시처럼 수줍은 미소를 지으시는 교수님은 옆집 언니가 마주앉아서 조곤조곤 얘기해 주는 것처럼 소설 쓰기에 대해서 차분하게 얘기해 주셨다. 그러나 그 목소리에는 강력한 힘이 존재해서 글을 안 쓰고는 못 배기게 만드는 매력이 있었다.

비록 동영상으로 듣는 수업이지만 나는 교수님들의 생각과 감정을 충분히 읽을 수 있었다. 수업을 듣고 나서 자유 게시판에 올라가 학우들과 교수님께 안부도 전하고 글을 올리는 것도 참으로 좋았다. 교수님들을 통해 방송 작가로서의 삶이라든가, 영화 감상평 쓰기, 드라마

작가로 살기, 그리고 문화 콘텐츠의 중요성, 필수로 읽어야 할 문학 비평 등의 과정을 접했다. 비록 몸은 고달팠지만 정신세계는 훨씬 풍요로워졌다.

내가 사이버대학을 다닌다고 했을 때 내 주위의 어떤 사람은 펄쩍 뛰면서 곧 마흔을 바라보는 아줌마가 뭔 소설 공부를 하냐고 비웃었다. '집에서 그냥 애나 볼 것이지' 하면서. 남자들뿐 아니라 아줌마들 자신도 아줌마가 되면 당연히 애나 잘 키우는 것이 진정한 아줌마로 살아가는 삶이라도 된다는 듯, 자식의 꿈이 곧 자신의 꿈인 걸로 생각한다. 하지만 정작 사이버대학에는 연령에 관계없이 많은 사람들이 공부를 하고 있었다. 요즘은 평생 교육의 시대가 아닌가!

하고 싶은 말도 많고 궁금한 것도 많은 딸아이는 늘 나와 대화를 하고 싶어 했다. 그런 딸아이를 구슬려 미리 자게 하는 게 마음에 걸리긴 했지만 늦깎이 대학생 엄마의 모습을 보여 준다는 것이 그리 나쁘지만은 않았다. 딸아이는 엄마도 자기랑 같은 학생 신분이란 게 무척 신기하고 즐거운 모양이었다. 내가 시험을 치른다고 잔뜩 긴장해 있으면 긴장 풀라고 옆에서 다독여 주기도 하고 시험을 마치고 나면 몇 점을 맞았는지 관심을 보였다. 그리고 "엄마 나중에 꼭 작가가 돼." 하는 격려의 말을 잊지 않았다. 그렇게 나는 일과 공부를 병행하면서 3년

반을 보냈고 마지막 학기를 남긴 금년 5월에 회사를 그만뒀다.

이제 시작. 본격적으로 글쓰기만 하겠다고 결심을 한 거다.

싱글 같은 아줌마로 사는 법

일본에 있는 친구와 채팅을 하다가 친구가 물은 적이 있다.

"너 지금 하고 있는 일이 뭐야?"

"아줌마들 입는 옷 만들어서 수출하는 일이야." 이랬더니 친구가 하는 말이

"좋겠다, 넌 니가 만든 옷 실컷 입겠네." 하는 거였다.

"내가 왜 입어?"

"너도 아줌마잖아."

"제일 작은 사이즈도 내가 입으면 커서 못 입어."

대답하고 나니 기분이 좋지 않았다. 아줌마란 말 한마디에 크게 상처를 입은 거였다. 결혼을 하고 아이도 낳았으니 나도 엄연한 아줌마다. 하지만 아줌마란 말에 발끈한 것은 내 인상 속 아줌마 때문이었

다. 아줌마는 내 허리의 두 배는 실히 될 만큼 튼실한 허리에 오겹살은 될 것 같은 뱃살, 그리고 어지간한 강도와 맞붙어선 눈도 하나 깜짝하지 않고 번쩍 들어 내동댕이칠 굵은 팔뚝을 자랑하는, 이 세상에서 제일 씩씩하고 용감하고 악착같은 여자가 식당에서 큰 목소리로 수다까지 떨어대는 그런 이미지였다.

나는 뱃살도 전혀 없고 팔뚝도 이만하면 봐 줄만 하다. 솔직히 결혼 반지만 빼고 다니면 아직도 충분히 '미스' 행실을 할 수 있는데 아줌마라니. 한마디로 그날 나는 아주 쇼크를 받았다. 그 전에 내가 결혼한 여자를 말할 땐 스스럼없이 그 아줌마 어쩌고저쩌고 하다가 내가 정작 아줌마가 되고보니 나는 아줌마라는 호칭에 이렇게도 습관이 되지 않는 거였다. 미안하다, 이 세상 아줌마들이여. 내가 여기서 아줌마를 비하하는 것은 절대 아니다. 나는 다만 '내가 아줌마요.' 하고 확연히 드러나는 그런 외모보다는 더 매력 있어 보이는 아줌마의 이미지로 거듭나고 싶다는 얘기를 하고 싶은 거다.

솔직히 나는 주위의 친구들로부터 "넌 전혀 아줌마 같지가 않아. 아직도 싱글 같아." 하는 말을 자주 듣고, 그것을 달갑게 받아들인다. 상하이의 아줌마들을 보면 몸매가 처녀랑 별 차이가 없다. 얼굴빛도 뽀얗고 양 볼에는 홍조가 있고 기다란 다리는 얼마나 미끈한지, 이렇게 몸매가 좋으니 어떤 옷을 입어도 맵시가 살아난다.

내가 상하이에서 생활한 지도 이젠 16년이니 다른 도시에서 사는 친구들에게 난 상하이 아줌마로 통한다. 그래도 상하이의 여자 동창들은 하나같이 아직도 꽤나 날씬한 몸매를 유지하고 있는 반면에 다른 도시의 친구들은 학창 시절보다 훨씬 풍만한 모습이다. 주위의 환경도 중요하지만 자신이 어떤 이미지를 원하느냐에 따라서 자신의 몸매나 식생활 습관도 많이 변하는 것 같다.

말이 나온 김에 상하이 여자들에 대해서 얘기해 보자.

상하이 아줌마는 전 중국에서 '쑈우즈小資'라는 칭호를 받을 만큼 소자산 계급의 품위가 있는 것으로 유명하다. 상하이 아줌마들은 한 마디로 챵뾰우腔調가 있다. 이 단어의 본래의 뜻은 말씨나 말투, 어조를 뜻하는 건데 상하이 사람들이 자주 쓰는 단어 중 하나다. 상하이에서는 한 사람을 칭찬할 때 이 단어를 많이 쓰는데 '아주 신사적이다, 아주 느낌이 좋다, 아주 품위가 있다, 아주 환영 받는다.' 등 다양한 의미로 쓰인다. 상하이 사람들로부터 '당신은 챵뾰우가 있어요.'라는 칭찬을 받으면 분명 자기만의 색깔이 선명하고 멋진 사람임에 틀림없다.

상하이 남자는 전 중국에서 여자에게 가장 잘하는 남자 1위로 뽑힐 만큼 친절하고 모든 가사를 도맡아서 한다. 여자는 퇴근 후 집에 오면 침대에 누워서 드라마를 보고 남자는 앞치마를 두르고 주방에서 반찬을 하는 풍경은 상하이에서 매일 저녁 볼 수 있는 풍경이다. 이러한 상하이 남자들의 기질은 타고났다기보다 상하이 여자들이 매력적이기 때문일 것이다.

예전에 이런 일화가 있었다.

남편이 외도를 했을 때 중국 각 지역 아내들의 반응은 큰 차이가 나는데, 어떤 지역의 여자들은 남편이 하룻밤을 다른 여자와 보내고 안 들어오는 날이면 홀로 속을 태우며 울거나 음식으로 스트레스를 풀고, 어떤 지역의 여자는(예를 들면 베이징) 남편이 돌아오면 자신의 친정 식구들을 다 데려와 남편을 실컷 때린 후에 '법정에서 봐요.' 하고는 바로 이혼 소송을 한다.

그런데 상하이의 여자는 어떤가? 상하이 여자는 마음이 상하고 고통스러울지는 몰라도 그런 티를 전혀 안 낸 채, 이튿날 아침 손수 맛있는 음식을 만들어 남편에게 아침 밥상을 차려준다. 물론 자신을 더 예쁘게 치장하는 것도 잊지 않는다. 한번으로 끝나는 것이 아니라 며칠 동안 이렇게 지극정성의 아침 밥상이 차려지면 남편은 후회를 하고 반성을 하게 된다. '내가 미쳤지, 이렇게 좋은 아내를 두고 무슨 짓을 한 거야.' 남편은 두 번 다시 외도를 하지 않는다. 그리고 아내들은 자신이 남편의 외도를 지혜롭게 극복한 이야기를 글로 써서 잡지에 발표를 한다. 원고료를 받으면 그것으로 미장원에 가서 머리를 손보며 자신을

위로한다고 한다. 슬픔으로 자신을 망치느니 자신을 다듬는, 우직지계
迂直之計를 택한 것이다.

재미있는 일화가 하나 더 있는데, 한번은 한국의 임 장로님이 우리
집을 방문하여 결혼 생활에 대해 조언을 해 주셨다. "남자와 여자는
많이 달라요. 과학적인 실험에 근거한 건데 남자와 여자의 감각 기관이
완전히 달라서 그런 거예요. 남자들에 대해서 오해하지 마세요……."
그러다가 상하이 남자들은 여자들과 똑같이 출퇴근을 하면서도 집에
오면 여자는 빈둥거리기만 하고 남자가 주방에 들어가서 밥을 짓는다
는 얘기를 들으시곤 "에구머니, 난 상하이 남자로 태어나지 않은 게
정말 다행이야."라고 하셔서 한바탕 웃음바다가 되었던 기억도 있다.

상하이 아줌마들은 남편의 사랑을 듬뿍 받으며 자신이 하고 싶은
걸 다 하고 지낸다. 이러한 상하이에서 생활하는 나 또한 의식이 자연
스레 상하이 아줌마들의 기준으로 몸매 관리를 철저히 할 수 밖에 없
었다. 딸아이 반의 학부모들은 그야말로 연예인처럼 하나같이 예쁘고
품위가 있다. 그래서 딸애는 매번 내가 학부모회의에 참석하기 전날이
면 내 옷을 직접 골라 준다거나 헤어스타일까지 코치하며 잔소리할 정
도다. 딸아이의 눈에도 자기네 반의 상하이 엄마들이 너무 멋있기 때문
일 것이다. "겉모습만 싱글 같으면 뭘 하나." 아줌마 같지 않다고 자
부해 왔지만 이럴 때면 나도 딸아이 몰래 이렇게 투덜대곤 했다.

회사 회식 때 노래방에서 노래를 불러 보면 아줌마와 아가씨의 차이가 확연히 드러난다. 부르는 노래가 다르다. 이럴 때는 허구한 날 7080 노래만 부르지 말고 한 달에 한 곡이라도 유행가를 배워서 불러 주는 센스가 있다면 좋을 텐데. 그러면 '아줌마가 이런 노래를?' 하고 모두들 눈이 휘둥그레질 것이다. 7080 노래는 나이가 같은 동창 모임에서 날이 새도록 불러도 충분하다.

아줌마의 실상을 들여다보면 아줌마는 사실 굉장히 불쌍한 존재다.

싱글일 땐 말 그대로 화려한 싱글로 살기 쉽다. 불타는 금요일 친구들이나 회사의 회식 자리에서 새벽까지 술을 마시며 청춘을 불태우고 이튿날 집에서 점심까지 퍼져서 자도 누구 하나 뭐라 하는 사람 없고 그땐 또 체력도 따라 준다. 저 혼자 벌어서 제 한 몸만 잘 거둬 주면 되는 심플한 인생이다.

하지만 아줌마는 어떤가? 아무리 회사 일이 고되어도, 아무리 늦잠을 자고 싶어도 일찍 잠을 깬 딸아이가 와서 밥 달라고, 놀아 달라고, 일어나라고 칭얼거린다. 초보 엄마들은 주말에 아이와 놀아 주는 게 너무 피곤해서 오히려 회사에 출근하는 것이 자신에게는 휴가라고 말한다. 나도 마찬가지다. 집에 봐 주는 사람이 있긴 해도 내가 해야 할 일은 또 따로 있다. 예를 들면 아이와 같이 놀아 준다거나 책을 읽어 준다거나, 주말에 동생네와 같이 사는 부모님한테 간다든가 하는 일은 오롯이 나의 몫이다. 회사에서는 어린 후배가 막 치고 올라왔고 그대로 눌러앉아 있어 봤자 과장직에서 더 오를 공간도 없었다. 그렇다고 덜컥 회사를 그만두자니 어디 가서 면접을 볼 자신감도 없었다. 이러지도 저러지도 못하는 불쌍한 아줌마 신세다. 그런 노래도 있지 않은가? "아줌마는 너무 힘들어, 아줌마는 너무 외로워."

그래서 난 결심했다. 불쌍한 존재의 아줌마가 되지 않고 싱글처럼 사는 법을 익히는 아줌마가 되겠다고. 아줌마라서 못하는 것들을 과감히 떨쳐버리고 싱글만큼 해낼 수 있는 것을 찾자. 그것이 내가 찾은 방법이다.

누가 장만옥에게 돌을 던지랴!

　내가 학창 시절부터 지금껏 쭉 좋아해 온 연예인이 있는데, 바로 홍콩 배우 장만옥이다. 애써 꾸미지 않은 듯하면서도 자기만의 색깔이 선명한 그의 패션, 펑키한 헤어스타일, 세계 정상의 톱 모델들과 같이 패션 무대에 나서도 전혀 꿀리지 않는 그의 몸매와 자신감, 외모로 따진다면 그녀보다 예쁜 연예인들이 수없이 많지만, 난 젖살이 통통했던 순수하고 청순한 그녀의 예전 모습부터 원숙미와 관능미가 넘치는 그녀의 지금의 모습까지 한결같이 좋아한다. 물론 내가 그녀에게 빠지게 된 진정한 그녀의 매력은 뭐라 해도 제자리에 머물러있지 않고 변화하는 긍정적 삶의 태도 때문이다.

　그녀는 뭐든 열심히 사랑한다.

　'사랑하라, 한 번도 상처받지 않은 것처럼' 이 말을 그녀에게 적용

시키면 딱 들어맞을 것이다. 몇 차례의 연애와 한 차례 실패한 결혼 끝에도 그녀의 가슴은 독일의 건축가와 열애를 할 만큼 메마르지 않았다. 이 나이가 되고 보니 그러기 쉽지 않다는 걸 나는 절실하게 느끼고 있다. '사랑 받아 마땅한 이들이여. 무뎌지는 걸 경계하시라. 우리가 무뎌지는 바로 그 순간 우리는 그만큼 뒤로 물러서는 것이다. 쉽게 포기하고 쉽게 수긍하게 되는 것이다. 무엇이 모자라 뒤로 물러서야 하는가.' 그녀는 내게, 우리에게 그렇게 외치고 있던 것이다. 나는 그녀로부터 막 시들기 시작하는 감성을 꺼내 되살리는 방법을 배우곤 했던 것이다.

그 후에 그녀는 또 세상 사람을 깜짝 놀라게 하는 모습으로 나타났는데 배우 장만옥이 아니라 로큰롤 가수 장만옥의 신분으로 2014년 5월 1일 상하이 '딸기 음악회'에서 자신의 노래를 선보였다. '첨밀밀'과 Riana의 'stay'란 노래였다. 나는 현장에 직접 가 보지는 못했으나 음악회 후에 매체를 통해 그녀의 또 다른 변신을 접했다. 모두 장만옥의 이 놀랍고 엉뚱한 거동에 경악을 금치 못했고 그녀의 음악을 못마땅해 하며 입을 모았다. 매체마다 들썩들썩했다.

"여신이여, 그냥 돌아가서 영화나 찍으세요.", "한 시대의 여신이 끝내는 자신을 망가뜨렸군요.", "이 목소리는 하나님께 저주 받은 목소리다."

그녀가 그냥 배우로 우아하게 늙어 갈 수도 있었는데 왜 굳이 이런 일을 벌여 자신의 모습을 망가뜨리느냐는 혹평 혹은 의혹이 뉴스를 도배했다. 그렇지만 그녀는 이튿날 베이징 음악회에서 비난에 개의치 않고 떳떳하게 말했다.

"팬 여러분, 오늘도 제겐 소문이 따라다니네요. 하지만 상관없어요. 저는 연속 이십여 편의 영화에서 꽃병 역할을 해 왔으니 이번에도 저에게 스무 번의 기회를 주세요!"

다른 사람이 규정하는 대로, 다른 사람이 만들어 준 이미지대로 사는 연예인이 얼마나 많은가. 이들은 '화려한 변신'을 감히 시도조차 못 한다. 대중에게 비친 이미지대로 살아가다 잊히게 마련이다.

한때는 나도 그랬다. '넌 착한 애야.', '넌 공부만 잘해.' 주위의 이런 평가에 난 정말로 공부 빼고는 잘하는 게 없는 줄로 알았다. 운동과는 담을 쌓고 살았고 세상 물정에도 어두웠다. '넌 몸치야.' 하는 한마디 말에 오랜 세월 노래방에 가면 노래만 불렀지, 터져 나오는 욕망이나 흥을 춤으로 소화해낼 줄을 몰랐다.

하지만 이젠 아니다. 난 내면의 목소리에 귀를 기울였고 내가 하고 싶었던 것을 하나하나 시도해 보고 있다. 몇 년 전엔 동생과 함께 라틴 댄스를 배우러 다녔다. 한 시간 동안 열심히 몸을 흔들면 바닥이 땀으로 흥건히 젖는데 몸이 가뿐하고 얼굴엔 홍조가 어릴 때쯤 나는 알게 된다. 이 세상엔 타고난 몸치는 없다는 길. 후천적인 노력의 차이만 존재할 뿐이다.

현재를 더 멋지게 살아갈 고민으로도 삶은 이렇게 숨 가쁜데.

나는 장만옥의 이런 성실한 태도와 용기에 큰 박수를 보내고 싶다. 그녀는 자신이 뭘 하고 있는지를 똑똑히 아는 사람이다. 다른 사람이 바라는 대로, 다른 사람들이 규정하는 장만옥으로 살지 않고 자신의 주관적 의지대로 삶을 살고 있었다. 그녀는 꾸며 주는 대로 가만히 앉아 영광만을 되새기며 살 수도 있었다. 하지만 그녀는 안전지대에서 당당하게 걸어나와 로큰롤이라는 완전 새로운 영역에 도전했고 여기에 자신의 모든 열정을 아낌없이 쏟아 붓고 있었다.

그 노래가 어떤 노래건 잘 부르건 못 부르건 그녀는 즐겼고 행복해하고 있었다. 그런 용기가 쉽지 않다는 걸 알기에 나는 박수를 보낸다. 유리관 안에서 보호받는 장미가 외칠 수 있는 말이란, 자신을 건드리지 말라는 애처로운 외침뿐이다. 그녀는 똑똑한 여자다.

누가 뭐래도 자신만의 길을 꿋꿋이 걷고 있는 장만옥, 그녀는 충분히 행복할 자격이 있다. 이런 장만옥에게 누가 감히 돌을 던질 수 있을까! 나는 그녀의 영원한 팬으로 남을 수밖에 없다.

나답게 사는 법

나는 피부색이 검다. 두 여동생은 아버지를 닮아서 피부가 우유처럼 흰데 나만 어머니를 닮아서 까맣다. 검은 피부색은 오랫동안 나의 콤 플렉스였다. 미백 화장품을 바른다고 검은 피부가 동생들처럼 하얀 피 부로 바뀌진 않았다. 그것을 인정하기까지는 꽤 오랜 시간이 걸렸다.

백화점 직원이 옷을 고르는 나에게 "얼굴색이 희니까 어떤 색상이든 다 어울려요." 하면,

"제 얼굴색이 희다구요? 말도 안 되는 소리예요." 나는 발끈했다.

옷을 팔아먹기 위해 입에 발린 소리를 하는 거라고 생각했다. 그러 면서 나는 점차 내 얼굴색에 어울리는 옷을 고르는 데 성공했다. 피부 가 검다는 결점에 포인트를 주기보다는 옷으로 커버를 하는 거였다.

밝은 색상의 옷은 내 얼굴색을 밝게 해 준다. 오랫동안 해 온 일이 의류 쪽이다 보니 알게 모르게 패션 감각을 습득한 것도 사실이고, 그동안 수없이 수업료를 지불하며 쇼핑을 한 결과, 이제는 충분히 나에게 잘 어울리는 옷을 잘 고른다. 예전 직장의 나이 많은 디자이너도 나와 안목이 비슷해서, 그녀도 내가 고른 옷을 마음에 들어 했다. 이정도면 그간 옷을 고르며 겪은 시행착오가 헛되지 않은 셈이다. 나는 평범한 옷보다는 살짝 디테일이 들어간 옷을 선호하는 편이다. 그리고 여행을 갈 땐 평소에 입을 기회 없던 옷도 과감히 입고 과장된 액세서리도 착용한다. 그래서 그런지 주위 사람들은 나를 보면 화려하다는 표현을 많이 쓴다.

그것은 나의 글에 대한 사람들의 평가에서도 마찬가지였다. 많은 사람들이 내가 쓴 글을 보면 화려하다는 표현을 했다. 나는 아무리 눈을 씻고 들여다봐도 화려한 표현을 쓴 게 없는데 사람들은 화려하다고 했다.

예전의 나는 너무나 사람들의 눈을 의식했고 사람들의 평가에 신경 쓰곤 했다. 남들의 기준에 어긋날까 봐 전전긍긍했다. 하지만 남들의 기준에 맞추려고 할수록 나는 점점 더 자신감을 잃어 갔고 즐겁지가 않았다. 일단 행복하지 않았다. 남들의 눈에 비치는 나는 행복할지 몰라도 정작 나 자신은 지치고 힘들고 스트레스에 시달렸다. 내가 진정한 행복을 느끼지 못했기 때문이다. 막내 동생은 나에게 나이보다 너무 젊게 입는다고 하지만 동생보다 겨우 네 살 많은 내가 평생 동생보다 나이 들어 보이게 입어야 한다는 게 말이 되는가? 나는 내 스타일대로 옷을 입고 내가 원하는 일을 하고 내가 쓰고 싶은 글을 쓰기로 했다. 그러자 이상하게도 당당해졌다. 행복해졌다.

이제는 누가 뭐라고 하면 당당하게 말한다.

"내 나이가 어때서! 난 칠십, 팔십이 되어도 젊은 모델과 어깨 나란히 하고 런웨이를 걷는 외국의 할머니 모델이 멋지기만 하더라."

마음이 젊다는 건 그만큼 배움을 즐기고 긍정적으로 산다는 것을 의미한다. 외모가 젊어 보인다는 것은 그만큼 자신을 가꾸는 데 열심히 노력을 했다는 얘기다. 마흔 살 이후의 외모는 자신이 책임져야 한다는 말도 있지 않은가.

글에 대한 사람들의 평가에도 이젠 속상해하지 않는다. 그것을 나만의 개성 있는 문체로 생각하기로 했다. 중국말에 '배추든 무든 모두 사랑받는 이유가 있다.'고 했듯이 굳이 모든 사람들의 비위에 맞추기 위해 어설프게 소박한 흉내를 내고 싶진 않다. 내 이름에 들어간 난초 '란' 자처럼 나는 수백 가지의 난초 중에서 가장 화려한 호접난이 되는 것이다. 호접난도 많은 사람들한테 사랑받지 않는가! 달이 늘 둥글 수만은 없고 꽃은 늘 피어있을 수 없다. 옥에도 티가 있고 가장 아름다운 조각상으로 알려진 비너스도 결함이 있듯이 이 세상에 완벽한 것은 없다고 생각한다. 너무나 완벽한 것은 왠지 보기만 해도 질릴 것 같다. 숨이 막혀올 것 같다. 불편하다.

나는 내가 잘하는 걸 즐기고 내가 못하는 것도 시도해 보려고 한다. 길다면 길고 짧다면 짧은 인생에 가능한 많은 걸 경험해 보고 싶다. 물론 그 모든 건 내가 원해야 한다는 걸 전제로 한다. 다만 한 가지를 완벽하게 하기 위해 자신을 괴롭히지는 않는다. 인생을 즐기며 사는 타입이다. 나만의 방식대로 한다. 나답게 산다는 건 자신을 믿는 것이다.

한번은 회사 일로 스트레스를 너무 받아서 친한 친구에게 메일로 하소연을 했다. 구구절절 만장 같은 편지를 보내 놓고 내 메일에 만장의 편지로 회신을 해 나를 위로해 줄 친구의 메일을 은근히 기대하고 있었다. 그랬는데 친구한테서 온 메일을 열어 보고 나는 실망을 금하지 않을 수 없었다. 친구의 메일은 딱 한 구절이었다.

"넌 할 수 있어, 넌 곽미란이니까!"

난 이 말이 담고 있는 의미를 바로 알아차렸다. 그 한마디에는 나에 대한 모든 긍정의 메시지가 들어있었다. 넌 의지력이 강하니까, 넌 현명하니까, 넌 이해심이 많으니까, 넌 강하니까, 넌 잘할 수 있으니까……. 친구는 결국 나 스스로가 나의 주인임을 가르쳐주었다.

지금도 나는 슬럼프에 빠지면 나 스스로 나를 다독거려 준다. '괜찮아, 난 할 수 있어, 난 곽미란이니까!' 이러고 나면 강한 에너지가 내 몸속에서 퍼져 나오는 것을 감지할 수 있다. 나의 스타일대로 사는 것, 가장 나답게 사는 것이 가장 행복한 일이라는 것을 나는 안다.

국어사전에서는 '행복'에 대해 이렇게 정의하고 있다.
생활에서 충분한 만족과 기쁨을 느끼는 흐뭇한 상태.

그렇다면 나는 분명 지금 아주 행복하다. "행복은 다른 사람 눈에 비쳐지는 이미지가 아니라 자기가 느끼는 것."이라는 걸 나는 사십이 다 된 지금에야 알았다. 지금 느끼는 행복은 내가 회사에서 어떤 일을 처리했을 때 느끼는 그 성취감이나 돈을 많이 벌었을 때와는 또 다른 아주 충분한 만족이었다.

회사를 그만두고 그 무거운 모든 것을 던져버린 뒤, 내 주위에는 긍정의 에너지의 물꼬가 터지고 그 물꼬로 바짝 말랐던 내 삶에 조금씩 물이 넘어 들어왔다. 내가 하고 싶은 일, 나의 꿈을 이루기 위해 온 우주가 두 손을 내어 내게 좋은 기를 불어넣어 주었다.

믿으라, 그러면 열릴 것이다

나는 무엇이든 잘 믿는 편이다. 지금껏 살면서 별로 속고 살지 않아서 그런지 쉽게 믿는다. 교회에 다니기 시작한 건 성경을 알고 싶어서다. 문학 작품이든 자기계발서든 성경 구절을 인용한 문장이 참 많았다. 그래서 문학을 하려면 성경을 알아야겠구나 하는 사심이 살짝 들어간 목적으로 교회를 다녔다. 교회에서는 믿음이란 단어를 많이 쓴다. 믿음은 무엇인가? 믿음이란 단어를 참으로 많이 쓰면서도 정작 믿음이 뭐냐고 물으면 입이 막힌다.

성경에서는 믿음이 무엇이라고 선언되는가?

'믿음은 바라는 것들의 실상이요, 보지 못하는 것들의 증거니' 히브

그러면 믿음은 얼마나 필요한가?

'믿음이 없이는 기쁘게 못하나니' 히브리서 11:6
'오직 믿음으로 구하고 조금도 의심하지 말라, 의심하는 자는 마치 바람에 밀려 요동하는 바다 물결 같으니' 야고보서 1:6

나는 실제로 강한 믿음이 있으면 이루어지는 경우를 많이 경험했다.
내가 초등학교 4학년 때인가, 어머니는 이상한 병에 걸렸다. 처음에는 감기라고 진단되었으나 낫지 않으니 영문을 알 수 없었다. 매일 링거를 맞으러 마을 병원으로 다니던 어머니는 그 후에는 걸어 다닐 힘이 없다고 했다. 아버지가 자전거로 병원에 데리고 다녔는데 며칠 지나니 자전거 뒤에 올라탈 기운도 없다고 했다. 그 후로는 집에서 링거를 맞았다. 다리에서부터 시작한 마비 증세는 서서히 온몸으로 퍼지기 시작해 결국 달 반 정도가 지나자 어머니는 정신만 맑은 채 사지는 완전히 마비가 오고 말았다. 마을의 의사는 의사의 자존심을 걸고 고칠 수 있다고 큰소리쳤지만 병명도 모르는 의사를 믿을 수는 없었다. 그래서 결국은 시내에 있는 병원으로 옮겼다. 그 병원에서 3개월 치료를 받고

야 겨우 걸을 수 있게 되었지만 팔다리는 꽤 오랫동안 기운이 별로 없었다. 그래도 우리는 너무 기뻤다. 어머니가 병원에서 퇴원해서 집에 돌아오던 날, 우리 집은 경사가 났다. 썩 나중에야 어머니는 우리에게 이런 말씀을 하셨다.

"그땐 정말 혀 콱 깨물고 죽고 싶더라. 그런데 올망졸망한 너희들 셋을 보니 차마 죽을 수가 있어야지."

누구보다도 일 욕심 많고 성격이 급한 어머니가 그렇게 오래 병석에 누워 있었으니 그 답답함이 오죽했으랴. 거기다가 가정 형편도 어려웠으니 병 치료에 들어갈 돈을 생각하면 가슴이 미어졌을 것이다. 하지만 어머니는 포기하지 않았다. 우리 세 자매를 위하여 자신을 포기하지 않았다. 꼭 나아야겠다는, 꼭 나으리라는 굳센 믿음이 없었다면 어머니는 다시 일어나지 못했을 것이다.

나와 동생들이 결혼을 하고 내 딸애가 8개월이 되었을 무렵, 부모님이 딸애를 돌봐 주셨는데 아버지가 자꾸 기운이 없다고 했다. 무릎에 이상하게 멍이 자꾸 생기고 잇몸에도 피가 난다고 했다. 병원에 가서 검사하니 백혈병이라고 했다. 듣기만 해도 무서운 병명. 생전 감기 한 번 앓지 않던 아버지에게 백혈병이라니, 마른하늘에 날벼락이었다. 아버지에게 백혈병에 걸렸다는 말을 하기엔 차마 입이 떨어지지 않았다. 동생들과 상의 끝에 우리는 입원 준비를 하고 아버지를 모시고 병원으로 갔다. 아버지에겐 무슨 병인지 몰라서 다시 정밀 검사를 해야 한다고 철저하게 속였다. 영문도 모르고 우리를 따라 병원으로 간 아버지는 입원하라는 의사의 말에 펄쩍 뛰었다. 자신이 백혈병에 걸렸다는 걸 안 그 순간, 아버지는 낙담했다. "입원은 무슨 입원, 소용없어, 돈만 썼지. 집에 가서 있다가 죽으면 그만이야."

고집 센 아버지를 겨우겨우 설득해서 입원을 시켰다. 나는 제발 아버지가 포기하지 말라고 기도했다. 본인이 포기하면 아무리 용한 의사라도 고칠 방법이 없었다. 처음엔 그렇게도 단호하게 치료받기를 거절하던 아버지도 차차 자신의 병을 받아들이고 고칠 수 있다는 믿음으로 열심히 치료를 받았다.

"외손녀들이 학교 가는 건 보고 죽어야지." 하는 희망을 단단히 부여잡고 믿음으로 아버지는 건강을 되찾았다.

올해 어머니가 간암에 걸렸다는 소식은 우리의 믿음을 또 한번 시험하는 계기가 되었다. 어머니는 처음부터 자신의 병에 대해 알고 있었지만 정말 긍정적이었다. "이제부터 암과 친구로 지내며 살면 되겠구나." 하고는 웃었다. 옛날에 11살, 10살, 7살 난 어린 딸들이 불쌍해 차마 눈을 감지 못했다면 이번에 어머니가 포기하지 않고 믿음을 가질 수 있었던 건 깊은 신앙심 때문인 것이다. 몇 년 전부터 교회에 다니기 시작한 어머니는 신실한 기독교신자다. 어머니는 초 긍정적이고 낙관적이

다. 자신의 병이 나으리라 굳게 믿고 있고, 믿음은 흔들림 없이 확고하
다. 그래서 어머니는 잘 버티고 있는 거다.

개나리는 염려하지 않습니다. 만일 개나리가 염려한다면 그토록 순결
한 노란색을 드러낼 수 없습니다. 개나리는 염려하지 않고 하늘의 하
나님을 바라보기에 그토록 순결한 색을 표현하는 것입니다. 하나님을
기대면서 의지하는 피조물은 염려하지 않습니다.

　-장경철 『개나리는 근심하지 않는다』

믿음이란 엄마 품에 안기어 자는 아이와 같이 평화로운 것이며 두려
움이 없는 것이다. 엄마 품에 안긴 아기는 걱정하지 않는다. 어떻게 살
까, 무엇을 먹을까, 무엇을 입을까. 엄마가 있는 곳에 아기는 평화가
있다.
　믿음은 긍정, 희망, 발전, 성공 등의 뜻으로 표현된다. 믿음이 있다
는 것, 믿는다는 것은 꿈을 이루기 위한 전제 조건이며 필수 조건이다.
나 또한 오늘날까지 믿음으로 나의 꿈에 한 발짝씩 더 가까워지고 있
다.

믿으라, 그러면 모든 것이 열릴 것이다.

서른
아홉,
다시 봄

세계를 읽다

새로운 자아를 발견하는 여행

여행자는 말한다

왜 여행을 하는가? 여행에 대한 정의도 가지각색이고 여행의 목적도 백인백색이겠지만 나에게 여행은 삶의 활력소이며 삶 자체라고 말할 수 있다. 여행이 없는 삶은 의미가 없다. 결혼 전에도 남편에게 여행을 자주 다니고 싶다는 소망을 내비쳤을 만큼 나는 여행을 좋아했다. 그래서 지금도 나는 누구에게든 시간과 돈을 투자하여 여행을 떠나라고 권유하고 싶다.

연애 시절에도 여행은 많이 다녔고, 딸아이가 태어난 지 얼마 안 될 때에도 우리는 딸아이를 데리고 여행을 다녔다. 가깝게는 상하이에서 한두 시간 거리인 쑤저우나 항저우, 난징, 우시 등 주변 도시를 주말여행 코스로 잡았고, 조금 더 멀게는 차로 대여섯 시간씩 걸리는 황산, 삼청산, 무이산 등의 산과, 그리고 풍경이 천하제일이라는 계림, 구채구, 소수 민족의 색다른 생활을 경험할 수 있는 사천성, 운남, 대리, 동남아시아 등을 딸아이와 함께 여행했다. 그런데 딸아이를 데리고 가는 여행은 제한이 많았다. 산을 오르거나 바닷가에서 휴식의 한때를 즐기는 정도에 만족해야 했다. 도시 여행을 하더라도 그 도시의 밤 생활을 체험하려는 따위의 야무진 꿈은 애초부터 머릿속에서 밀어냈다.

한번은 동생과 함께 부모님과 딸아이를 데리고 아버지가 소원하시던 베이징에 3박4일 여행을 갔다. 부모님은 천안문이나 고궁, 만리장성 같은 곳을 둘러보고 싶어 하셨으나 어린 딸아이와 조카는 편안한 호텔 수영장에서 수영하거나 쇼핑하는 걸 더 좋아했다. 식성도 다 달라서 부모님은 베이징에 도착한 첫날부터 베이징을 떠나는 날까지 왕푸징 부근의 한국 식당에서 평소와 같은 식사를 하셨고, 딸아이와 조카는 서양 음식이나 베이징 요리를 먹겠다고 고집을 부려 마지막 날엔 따로따로 식사를 할 수밖에 없었다.

그 후부턴 여행을 떠나기 전엔 여행 목적을 확실하게 정하기로 했다. 아이들 놀이 여행인지 남편과 둘만의 데이트 여행인지 부모님 효도 여행인지에 따라 세부적인 계획을 다르게 세웠다. 부모님들은 어르신 팀을 만들어서 당신들끼리만 여행 보내고, 딸아이는 학교에서 조직하는 여름 방학 해외 연수나 캠핑을 보냈다. 그리고 나는 남편과 자유로이 여행을 떠나거나 혹은 아줌마 4인조와 2년에 한 번씩 해외여행을 간다. 또 절친한 친구와 먹을거리 여행을 떠나거나 동창들과 수다 여행을 떠나기도 한다. 덕분에 요즘 나의 여행 파트너는 훨씬 다양해졌다.

중국의 가장 큰 휴일인 10월 국경절 기간이나 구정엔 해외든 국내든 여행을 안 가는 것이 좋다. 그때 가면 비행기 티켓 값도 평소보다 곱절 비싸지만 어딜 가도 사람 천지다. 사람 구경만 하다가 와야 한다. 그럴 때는 집에서 조용히 보내거나 상하이 시내 투어를 하면 된다. 평소에 못 가봤던 상하이의 골목을 구경하거나 가까운 교외에 펜션을 잡아서 1박2일 동안 여유 있게 즐기다 오는 것이다.

'책 만 권을 읽는 것보다 만 리 길을 걷는 것이 낫다.'는 말이 있듯, 여행을 통해 보고 겪는 모든 것은 우리가 책을 많이 읽거나 사람을 많이 만나면서 얻게 되는 지식과는 또 다른 차원의 지식이고 즐거움이다. 바다 앞에서 자신이 작디작은 한 방울의 물에 지나지 않는다는 것을 깨닫고, 산을 오르면 자신이 한 알의 모래처럼 느껴지게 된다.

여행은 마음의 용적을 넓힌다. 어디를 가든 우리는 갖가지 사람들과 뜻하지 않은 상황들을 맞닥뜨리게 된다. 더군다나 세상을 넓게 여행하다 보면 이국적인 음식들을 즐길 수도 있고 독특한 건축물들과 입이 떡 벌어지는 풍경 앞에 넋을 잃을 수도 있다. 세상을 탐험하는 것은 벽 없는 교실에 들어서는 것과 같다. 그 수업을 듣고 나서 당신의 삶은 내면으로부터 풍요로워지고 확장된다. 수업의 준비물은 참을성과 호기심, 그리고 얼마간의 돈이다.

　　-알렉산더 그린의 『삶에서 무엇이 가장 중요한가』

　우리는 모두 잠재적인 여행자다. 여행을 떠날 때마다 나는 미처 만나지 못했던 또 다른 나의 인생을 살아간다. 여행은 내 인생의 축소판이라고 해도 과언이 아니다. 여행길에는 삶의 희로애락이 고스란히 들어있다. 평소에는 그냥 지나쳐버리던 꽃 한 송이, 풀 한 포기에도 눈길이 가는 것이 여행이다. 여행에서 만났던 수많은 사람의 생애 한 순간이 내 삶과 맞닿는 순간, 그들의 이야기가 내 삶에 투영된다. 그것은 내 자신을 돌아보고 행복의 의미를 다시 생각하게 만든다. 스쳐가는 한 순간의 인연이었다 해도 그들과 함께 웃고 울던 그 모든 것 역시 내 인생의 한 부분이다.

　매 하나의 풍경, 매 한 장의 사진 속에는 그 당시, 그 순간의 스토리가 오롯이 담겨 있다. 여행처럼 반복적인 기억을 떠올리고 추억으로 남는 게 또 어디 있을까. 길다면 길고 짧다면 짧은 인생, 더 늙기 전에, 하루라도 더 젊을 때 여행을 떠나자.

　마음만 먹으면 여행은 누구라도 떠날 수 있다.

아줌마들의 일탈기
-싱가포르 여행

　가끔은 모든 걸 훌훌 털어버리고 멀리 떠나고 싶을 때가 있다. 아내로, 엄마로, 딸로, 며느리로 살아가느라 일상에 찌들었던 아줌마들의 일탈 욕구라고 해 두자. 상하이에서 싱가포르까지, 아줌마들의 일탈치곤 너무 멀리 간 건 아닌지 모르겠지만 우리는 망설이지 않고 싱가포르 자유 여행을 택했다. 유명 관광지는 처음부터 관심 밖이었다. 여행사를 통해 우르르 몰려가는 단체 여행도 이미 졸업했다. 여행지가 정해지자 우리 넷은 바로 준비에 착수했다. 싼 티켓을 구매하고 호텔을 예약하고 싱가포르 지도의 약도를 프린트하고 교통노선을 체크하고 우리가 구경할 곳을 꼼꼼히 체크했다.

　싱가포르 하면 가장 먼저 떠오르는 것은 깨끗한 도시라는 이미지였다. 들리는 말에 의하면 싱가포르에는 껌이 없다고 했다. 공공질서나 규칙을 위반하게 되면 거액의 벌금을 물린다고 했다. 우리는 가기 전부터 지레 겁을 먹고 신경을 곤두세우기도 했지만 정작 가 본 싱가포르는 우리가 예상했던 만큼 병적으로 깨끗하진 않았다. 상하이에서 하던 대로만 하면 전혀 문제 없었다. 역시 사람 사는 곳은 똑같구나 싶어 우리는 회심의 미소를 지었다.

우리가 투숙한 곳은 오차드 로드에 있는 호텔이었다. 우리는 쇼핑을 위주로 한 쾌적한 자유여행을 원했기에 명품 쇼핑 거리인 이곳을 택했다. 크고 작은 브랜드 쇼핑몰이 즐비하고 테마 레스토랑이며 5성급 호텔도 많아서 상하이의 난징시루를 방불케 하는 오차드 로드는 길 양옆에 굵고 오래된 나무들이 울창하게 뻗어서 이국적인 분위기가 물씬 풍겼다.

싱가포르 여행의 필수코스인 부기스, 리틀 인디아, 마리아나베이 샌즈, 머라이언 파크는 멀지 않아서 하루 만에 다 돌아볼 수 있었다. 머라이언 파크가 있는 강변에서 맞은편을 바라보면 마리아나베이 샌즈가 보였다. 상하이의 와이탄에서 푸동의 야경을 구경하는 것과 흡사했다. 강변에는 근사한 분위기의 오픈 레스토랑이 많은데 시원한 강바람을 맞으며 멋진 야경을 감상할 수 있다는 것이 최고의 매력이었다. 음식값은 다른 레스토랑에 비해 조금 비쌌지만 매일 집에서 찬거리를 걱정하던 아줌마들에게 최상의 서비스와 황홀한 야경, 더위를 식혀 주는 시원한 강바람까지 최고의 호사였다.

어디에서 만나든 바람은 시원하지만 역시 물가의 바람은 질감부터 부드럽다. 내가 어릴 적 흙내 섞인 도랑의 물 냄새를 맡으며 자랐고, 지금 사는 상하이도 강과 바다가 모두 있는 곳인 걸 보면 나는 물 근처에 살아야 할 팔자 같다. 어디를 가서도 물 냄새를 맡으면 나는 가슴부터 확 트인다.

아열대 도시라 오픈 바나 레스토랑을 심심찮게 볼 수 있었다. 바에서 노래를 부르는 가수들의 실력은 가히 유명가수 못지않게 뛰어났다. 신나는 음악과 사람들의 웃음소리, 젊음의 열기가 조명을 받아 영롱하게 빛났다. 싱가포르의 밤은 매력을 한껏 발산하고 있었다. 클락키 또한 빼놓을 수 없는 코스였다. 상하이의 헝싼루나 신천지처럼 오밀조밀하게 바가 들어앉은 곳인데 이곳은 강변을 끼고 있어 탁 트였고 시원한 생맥주를 들이키니 가슴이 뻥 뚫리는 느낌이 들었다.

내 꿈에 그대들이 있었나. 나의 오랜 전생과도 같은 시절 나는 이토록 곁에 있던 사람들을 사랑하지 못했었는데. 사랑할 줄 몰랐다는 말이 더 옳을지 모른다. 별이 빛나는 밤. 우리가 바라보던 강변에 반사된 불빛 또한 온통 별빛이어서 어디까지가 하늘이고 어디까지가 땅인지 경계가 불분명했다. 여기 내가 있었다. 겨울마다 어린 내가 바라보던 별도 저렇게 빛났었나, 하고 떠올려 보았다. 웃으며 내 이름을 불러 주는 친구들이 바로 옆에 있었다. 모두 어린 시절처럼 눈을 반짝였다. 모두 신났다.

"어디까지 갈까?" 내가 물었었나. 대답을 듣지 않아도 알고 있었다. 우리는 함께 어디든 갈 마음이었으니까. 같은 시간과 장소에 있어도 마음까지 같기는 쉬운 일이 아니다. 하지만 우리는 모두 같은 생각을 하고 있었다.

어디까지든 가자. 저 불빛 아래라면 어디든.

호기롭게 나선 아줌마 넷은 강변을 따라 걸었다. 그 밤에 들뜬 우리가 제대로 잠들었었나. 고향의 들길을 달리던 어린 나, 회사를 박차고 나와 자유를 실현하고 있는 내가 손을 잡고 어디까지고 달려가고 있는데. 이건 꿈이었나. 꿈이 아니다. 나는 지금 꿈을 현실로 만들어 가고 있으니까.

멋진 밤뿐 아니라 낮에도 우리는 어디든 갈 수 있을 것 같았다. 싱가포르의 유명 관광지로 손꼽히는 센토사 섬에서도 즐거운 시간은 계속되었다. 늘 아이들에게 놀이 기구를 태워 주려고 대신 줄을 섰던 네 아줌마는 유니버설 놀이 세계에서만은 우리 자신을 위해 줄을 섰다. 우리는 가상 3D 공간에서 사격을 해대며 일상의 스트레스를 한 순간에 날려 버렸다.

나는 그때 멋진 장소는 사람을 들뜨게도 한다는 생각을 했다. 낮에는 청초한 백옥란처럼 적도의 태양 아래 매력을 발산하는 화원의 도시가 되고, 밤이면 젊음의 열정을 한껏 노출하는 관능의 도시가 되는 싱가포르에서 우리는 젊음을 만끽했다.

지금도 네 아줌마들은 일상으로 돌아와 그날을 문득문득 떠올리며 웃곤 하는데, 그것은 그때 여행이 온전히 우리만의 여행이었기 때문일 것이다. 그리고 우리는 또다시 아름다운 음모를 꾸미고 있다. 내년에 떠날 프랑스, 스페인 여행에 대해서.

삶은 슬프고 아름답다
-청두 기행1

청두成都는 사천성에 속한다. 사천은 분지 형태의 지형으로 유명한 산도 많고 먹을거리도 유명하다. 중국 8대음식의 하나인 사천요리는 누구든 한 번쯤은 먹어 보았을 것이다. 유명한 사천훠궈는 샤브샤브인데 탕에 매운 고추와 후추를 듬뿍 넣어서 맛이 강하면서도 얼얼하다. 나는 진짜 사천의 맛을 보고 느끼고 싶어서 티켓을 끊고 한 달이나 벼르고 별렀지만, 정작 여행 떠날 날이 되었을 때 나는 불행하게도 오른손에 깁스를 하고 있는 상태였다. 가야 하나 말아야 하나 하고 고민했지만 결국 가기로 마음먹었다. 여행은 두 발로 하는 거지 두 손으로 하는 건 아니니까.

비행기 창문으로 내다보니 저녁노을이 하늘을 온통 불처럼 물들이며 아름다운 풍경을 선사하고 있었다. 이번 여행이 기막히게 즐거울 것 같은 예감이 들었다. 청두공항에 도착했을 때는 이미 아홉 시쯤 되었는데, 그 시간 청두공항에는 마중 나온 사람들로 북새통을 이루었다. 상하이 푸동공항만큼 규모 있는 공항이었는데 여기저기 가득한 인파를 보니 역시 관광 도시임을 실감할 수 있었다.

우리가 친구의 소개로 만난 렌터카 기사 쑈왕은 일찌감치 나와서 우리를 기다리고 있었다. 사실 우리의 일정은 도착한 이튿날부터였으나 쑈왕은 첫날 기꺼이 공항에서 우리를 픽업해 도강언都江堰까지 데려다주었다. 호텔에 가서 체크인을 하고 쑈왕의 요청으로 우리는 밤참을 먹으러 갔다. 도착한 첫날부터 청두의 음식을 맛보게 된 셈이다. 쑈왕더러 알아서 현지의 음식을 주문하라고 했더니, 토끼 머리, 오리 목, 오리 머리, 돼지 골수, 거위 간, 오리 심장, 그리고 붕어무침 요리가 올라왔다. 토끼 머리는 간장, 땅콩, 참깨, 후추 등을 넣어 졸인 건데 아주 향이 좋았다. 오리 목과 오리 심장은 상하이에서도 흔히 맛볼 수 있는 거였고 돼지 골수는 갖가지 양념을 넣어서 맵고도 향긋하고 국물이 있게 버무렸다. 붕어무침은 익힌 붕어 고기에 파, 간장, 고추, 생강, 후추 등으로 붕어가 보이지 않을 정도로 잔뜩 양념을 해놓았다. 어릴 적 고향에서 제일 많이 먹었던 생선이 붕어였다. 고향에서는 고추와 가지를 듬뿍 넣고 국물을 자작하게 끓였는데, 도강언에서 맛보는 쓰촨 요리법

붕어는 기름기가 전혀 없고 산뜻한 맛이었다. 우리의 입맛에 제법 맞았다.

  처음 낯선 것, 낯선 곳, 낯선 상황과 맞닥뜨렸을 때 나는 불쑥 겁이 나곤 했다. 하지만 일단 한번 발을 내디디면 그런 생각은 곧 사라졌다. 자꾸 하다 보면, 하고 싶은 것들은 더 많아졌다. 예전엔 궁금하게 여기고 호기심이 가도, 그 이후에 벌어질 또 다른 낯선 상황이 걱정되어 쉽게 하지 못했었다. 그러다 보면 호기심도 궁금함도 사라지고 삶이 재미없어진다. 호기심과 삶의 즐거움은 정비례한다. 이제 나는 겁내다가 놓쳐버리는, 이 아까운 순간들을 잃고 싶지 않다. 그래서 자꾸 도전해 보기로 했다. 낯선 것들에 대하여, 지금 나는 도전 중이다. 자꾸 듣고 또 생각하고, 내 삶 속으로 끌어들인다. 그러다 보면 나와는 상관없던 것들이 내 삶으로 들어온다. 그만큼 내 삶은 넓어지는 것이다. 그래서 여행지에서 어떤 상황을 만나도 나는 그것을 특별한 일이 생길 좋은 징조로 받아들인다.

  첫날, 우리는 그 유명하다는 수력공정시설인 도강언과 청성산을 구경했다. 이튿날, 우리는 미야뤄美亞羅에 가기로 했다. 그곳은 아시아의 알프스로 불릴 만큼 풍경이 수려하다고 했다. 특히 매년 10월 하순이면 빨간 단풍이 온 산을 불태운다고 했다. 이제 9월 하순이라 불타는 단풍까지는 기대하지 않았지만, 그래도 단풍을 볼 수 있다는 기대감에 우리는 몹시 설렜다. 쑈왕은 미야뭐로 가는 길에도 볼거리가 많다고 알려 주었다. 장족의 특색 있는 건축도 보고 2008년 5월 12일에 일어났던 원촨대지진의 유적지도 들르기로 했다.

산길을 달리던 차가 갑자기 어떤 마을 입구로 들어갔다. 주위의 알록달록한 건물은 지붕이 뾰족한 삼각형 모양이어서 유럽의 작은 골목 같았다. 거기에다 오색의 천으로 여기저기 장식을 해놓아 이색적이었다. "예쁘다."를 연발하는 동안 차는 그 길을 다 달려 오른쪽으로 꺾어들었다. 몇 십 미터나 걸었을까. 다시 오른쪽으로 굽어들자, 눈에 들어온 건 믿을 수 없는 광경이었다.

폭삭 내려앉은 폐허가 된 집……. 거기가 바로 원촨대지진 때 피해가 가장 심한 잉씨우 학교였다. 지진 유적지로 남기기 위해 지진 후의 상태 그대로 보존하고 있었다. 나는 눈앞에 펼쳐진 광경에 할 말을 잃었다. 뜨거운 것이 울컥 올라왔다. 어느새 눈물이 차올랐다. 이 모든 것은 순식간에 발생했다. 내가 머리로 판단을 하기 전에 내 가슴이 먼저 반응을 보였다. 눈앞에 수많은 장면이 떠올랐다. 2008년 그 해에 텔레비전에서 봤던 사고의 현장, 구원의 장면을 직접 내 눈으로 본다는 건 역시 충격적이었다. 이렇게 아름다운 곳에 가장 심한 자연재해가 발생하다니. 하나님이 무정한 걸까. 추적추적 내리는 비는 비통함을 더해 주었다. 묵묵히 애도를 드리고 그곳에서 나왔다. 나는 오랫동안 복잡한 감정의 소용돌이에서 헤어 나오지를 못했다.

지진이 일어난 후, 사회 여러 단체의 후원으로 재해지역을 재건하였는데, 수많은 사람이 자기의 주머니만 채웠다고 한다. 지진 이후 잉쑤이를 포함한 원촨 지대는 급격히 발전하였고, 심지어 사람들은 한 차례의 지진이 이 지역의 경제 발전을 적어도 20년은 앞당겼을 거라고 하며 한 번 더 재해가 일어났으면 좋겠다는 말도 서슴지 않았다고 했다.

차는 여전히 달렸다. 살아 있다는 것은 이렇게 달리는 것일까.
나는 살아있지만 움직일 수가 없었다. 온몸이 나른하고 머릿속은 표현할 수 없는 감정으로 꽉 찼다. 우울, 애수, 슬픔, 비통, 분개, 분노……. 가장 비참하고 안쓰럽고 분노한 단어들을 모두 동원한다고 해도 내 감정을 표현할 수 있을까. 도강언을 구경할 때 인간의 위대함에 대해 가졌던 자부심도, 청성산의 거대함을 보고 자연의 위대함에 대해 느꼈던 감탄도, 이 자연 재해 앞에선 비참하고 무기력할 뿐이었다. 인간은 얼마나 작고 나약한 것인가. 또 얼마나 졸렬하며 그러면서도 위대한가. 어떠한 형용으로도 표현할 수 없는 것이 바로 인간인가. 그러면 나는, 나는 무엇을 하며 살아가야 하는가.
산과 협곡, 강, 그리고 터널이 계속 이어졌다. 비는 그치고 하늘엔 생기가 돌기 시작했다. 가는 길에 강족羌族의 특색촌을 지나고 중국의 첫 조대인 하조 때 치수를 했던 우왕의 고향도 지났다. 길의 정면 산 아래에는 10미터가 족히 될 만한 대우의 동상이 웅장하게 서 있었다. 길의 오른편에는 우왕이 치수를 한 공적을 그린 벽화가 있었다.

길가에서는 상하이에서 보기 드문 코스모스가 환하게 웃으며 우리를 반겨 주었다. 코스모스는 내게 고향을 상징하는 꽃이다. 어릴 적 학교 다닐 때 학교의 화단에 심었던 코스모스, 가을 늦서리가 올 때까지 꽃을 피우는 수수한 꽃이다. 고향에 있을 땐 코스모스를 전혀 마음에 새겨 두지도 않았다. 울긋불긋하고 요염한 다른 꽃들에 비해 코스모스는 너무 수수하다. 그런데 고향을 떠나 타향에서 살면서 나는 늘 코스모스를 그리워했다.

사람의 마음이란 참 요상하다. 늘 없는 것에, 닿지 못하는 것에 대한 그리움으로 채워졌다. 비어 있던 마음이 또 사소하고 작은 것으로 위안이 되었다. 그래서 우리는 살아갈 수 있는지도 모른다.

세 시간쯤 달려 우리는 드디어 우리의 첫 목적지인 미야뤄에 도착했다. 자그마한 장족藏族의 촌부락이 있었는데 미야뤄 풍경구란 간판이 있고, 길에는 단풍잎 모양 장식이 높다랗게 세워져 있었다. 하지만 미야뤄 자연풍경구는 어디인지 누구도 몰랐다. 어딘가 홀리는 기분이 들었다. 길거리에서 소를 잡아서 파는 장사꾼에게 물어봐도 그냥 그곳이

미야뤄라고만 했다. 오는 길에 우리가 죽 보았던 산이 미야뤄에 속한다고 하기도 했다. 의심스러웠으나 현지사람들이 그렇게 말하는데 우리도 우길 방법이 없었다.

그곳에서 간단히 점심을 먹고 옆에서 혼례를 치르는 장족 사람들을 흥미롭게 구경하였다. 우리는 정말 우리가 제대로 여행하고 있는지 의심스러웠다. 목적지를 찾아와 계획한 대로 여행하는 것이 익숙했는데, 우리의 여행은 우연과의 만남의 연속이었다. 우리는 미야뤄를 본 것일까 본 것이 아닐까. 사람들이 그곳이라 했지만 떠나오면서도 여전히 그것은 의문스러운 일이었다. 우리는 우리가 세운 목표대로 살고 있는가, 혹은 그렇지 않은가. 생각해 보면 필연일지도 모를 많은 우연과의 만남으로 우리는 생을 살아 왔고, 살아가고 있다. 지진으로 폐허가 된 터전을 다시 일구고 살아가는 삶도 마찬가지 아닌가. 혼례를 올리는 저 젊은이들의 미래도 역시 그렇지 않은가. 우리는 미야뤄를 봤는지 더 의심할 필요가 없었다. 그때 우리는 미야뤄에 있었다. 그러자 정말 마음이 놓였다. 우리는 지금 살아가고 있다. 지금은 몰라도 시간이 지나면 자연히 내가 서 있던 곳이 어디였는지 알게 될 날이 오게 되는 것이다. 우리가 할 일은 계속 앞으로 가는 것이다. 우리는 다시 차를 타고 왔던 길로 되돌아 기사가 추천해준 삐펑꺼우畢棚溝 관광지로 향했다.

삐펑꺼우 풍경구에 도착하니 바람은 훨씬 싸늘해졌다. 시작되는 지점의 해발 고도가 이미 이천 미터였기 때문이다. 거기서 우리는 관광버스를 타고 입산을 했다. 버스에 앉은 사람들은 모두가 촬영 장비를 제대로 갖춘 전문 사진작가들이었다. 우리는 많은 사진작가들이 찾는 걸 보면 분명히 경치가 멋있으리라 내심 기대했다. 그런데 그 사람들이 나누는 대화를 엿듣다 보니 그 사람들도 미야뤄에 다녀오는 길이었다. 궁금해서 미야뤄에서 찍은 사진을 보여 달라고 해서 봤더니 과연 알프스 산에 버금가는 멋진 풍경이었다. 아, 있었구나. 우리는 후회했으나 때는 이미 늦었다. 대신 우리의 앞에는 삐펑꺼우의 아름다운 풍경이 기다리고 있었다. 우리는 좀 더 현명하게 선택하는 방법을 배운 것이다.

차창 밖으로 보이는 산은 골짜기가 깊어질수록 나뭇잎 색깔이 더욱 노란 빛을 띠었다. 버스는 고맙게도 중도에 맑은 호수가 있는 풍경구에서 한 번 세워 주었다. 모든 사람들이 내려서 촬영을 했다. 사면은 첩첩한 산맥이고 그 위로는 하얀 안개가 감돌았다. 맑디맑은 호수에 거꾸로 비친 산 그림자도 유난히 푸르렀다.

버스는 50여 분 동안 구불구불한 산길을 에돌아 본격적인 풍경구가 시작되는 쌍하이즈上海子에 우리를 내려 주었다. 문제는 거기에서 다음 풍경구까지 가려면 또 따로 돈을 내야 한다는 것이었다. 버스에서 내리자 반갑지 않은 비가 내렸다. 빗줄기는 차츰 굵어지며 멈출 생각을 안했다. 여기까지 올라와서 그냥 내려가기엔 억울했다.

결국엔 이십 위안을 내고 관광차를 탔다. 폭포가 있는 풍경구에 우리를 내려 주고 차는 가버렸다. 나는 온몸이 부들부들 떨려 사진 찍을 기분도 나지 않았다. 목적지에 도착했는데 이런 상태라니. 슬픈 일이었다. 그대로는 견딜 수가 없어서 좀 걷자고 했다. 폭포를 지나 오른쪽으로 조금 올라가니 완전히 다른 풍경이 나졌다. 고요한 호수가 눈앞에 펼쳐졌다.

판양호盤陽湖라는 호수였다. 빗방울이 투닥투닥 호수에 떨어지며 호수를 더 맑게 씻어주는 것 같았다. 너무 맑아서 거울 같았다. 제자리 뛰기를 한참 했더니 그제야 온기가 좀 돌아왔다. 다른 사진작가들이 촬영하는 걸 유심히 관찰하며 우리도 사진을 찍었다.

정말 신기하게도 이번 사천 여행에서 찍은 사진을 나중에 집에 와서 컴퓨터에 넣어서 다시 보니, 삐펑꺼우에서 찍은 사진이 최고로 잘 나왔다. 해가 쨍쨍 비치는 날이었으면 호수물이 제 색깔대로 나올 수가 없었을 것이다. 햇빛에 반사되어 아마도 하얗게 나왔을 것이다. 하지만 비 오는 날에는 말갛게 본색대로 나온다. 역시 자연은 본래의 색이 가장 아름답다.

거기에서 위로 더 올라가려면 또 20위안을 내고 차를 기다려서 타야 한다. 너무 춥고, 하산할 버스 시간도 가까워서 우리는 판양호만 구경하고는 서둘러 내려왔다.

우산과 비옷을 차에다 그대로 두고 간 우리가 비를 맞고 추위에 떨 것을 알았는지 쑈왕은 따끈따끈한 양꼬치와 감자꼬치를 사 주었다.

그는 기사가 아니라 어느새 우리의 친구가 되어버렸다. 히터를 튼 차 안에서 몸을 녹이며 우리는 단잠에 빠져들었다. 우리는 그날 청두로 가야 했다.

터미널에서 차가 많이 밀리는 바람에 예정 시간보다 반 시간쯤 늦게 저녁 10시가 가까운 시간에야 우리는 청두에 도착했다. 친구가 추천해 준 룽썬웬훠꿔(샤브샤브) 식당에 가서 맵고 뜨겁고 얼얼한 훠꿔로 춥고 허기진 위를 달랬다. 그리고 쑈왕과 헤어졌다. 이제부터는 청두 시내 구경을 할 예정이라, 그냥 현지 택시를 사용하면 되기 때문이다.

걸어라, 우리처럼
-청두 기행 2

　일기 예보에서 계속 비가 내린다고 했지만, 청두는 해가 쨍쨍 내리쬐
는 쾌청한 날씨였다. 청두여행의 일정을 하루로 잡은 건 사실 무리였
다. 구경할 데가 너무 많았기 때문이다. 그래서 우리는 포기할 건 과감
히 포기하자고 합의를 보았다. 우리의 여행 일정에 당첨된 청두의 명소
로는 '두보초당杜甫草堂', '진리錦里', '콴자이샹寬窄巷' 이렇게 세
곳이었다. 다시 말하면 이날 여행은 완전히 즉흥적으로 이루어진 여행
이었다. 여러 번 여행의 경험이 쌓이기도 했고, 여행 파트너가 모두 세
상의 쓴맛 단맛 다 아는 아줌마들이다 보니 웬만한 상황엔 눈도 깜
짝 안 하고 즐길 줄 알게 되었다. 이 또한 여행의 묘미다.

　첫 번째 코스는 '두보초당'이었는데, 열성 좋은 택시 기사 아저씨의

권유로 우리는 금세 방향을 바꾸어 두보초당 앞에 금사유적박물관金沙遺址博物館을 끼워 넣었다. 이것 또한 마음 맞는 사람들끼리 떠나는 자유로운 여행의 좋은 점이다. 행선지를 수시로 바꿀 수 있다는 것이.

금사유적박물관에서 우리는 가이드를 한 명을 대동하여 해설을 들었다. 보통 청두라고 하면 사람들이 떠올리는 건 팬더나 먹을거리, 그리고 현지인의 여유작작하고 느긋한 생활 태도지만 청두에는 문화 유적도 아주 볼 것이 많았다.

2007년에 지은 금사유적은 2001년부터 발굴하기 시작한 발굴 현장을 그대로 보존해서 지은 박물관이다. 그 곳에는 3천여 년 전에 제사를 지낼 때 상아를 제물로 드린 것부터 시작해서 그 후 600여 년 동안 제물로 드렸던 대량의 물건이 출토되면서 신비한 고대 촉蜀 문화와 독특한 청동문명을 보여주었다. 금사문화는 삼성퇴三星堆 문화와 비슷한 점이 있지만 성벽이 없는 것으로, 삼성퇴 문화의 마지막인 것으로 보면 된다. 또 하나는 고대 촉의 정치 중심이 이전되었다는 것을 의미한다.

2007년에 나는 구채구에 여행을 가면서 삼성퇴 유적을 참관한 적 있었다. 하지만 그때는 어린 딸아이를 데리고 갔을 때라 딸아이 돌보느라 제대로 구경도 못했고 벌써 7년이란 세월이 흘렀으니 구체적으로 뭘 봤던지는 기억도 가물가물하다. 그래서 이번 기회에는 열심히 가이드의 해설을 들었다. 본관은 유적의 발굴 현장을 그대로 보존해서 유적박물관으로 만들었다고 한다. 유적관과 5개의 진열관, 문물보호센터, 생태환경원림구 등으로 구성되어 있는데 이곳에서 출토된 한 점의 금으로 된 태양신조太陽神鳥라는 문양은 현재 중국 문화 유적을 대표하는 마크로 사용될 정도로 중시를 받고 있다.

우리에게 해설을 해 주는 가이드는 유물에 대한 해설로부터 시작해 현대의 정치, 경제를 결부시켜 흥미진진하게 이야기를 해 주었다. 상아에서 시작해 청동기, 돼지 뼈에 이르는 제물로부터 그 당시의 경제 발전, 기후 등을 추리해 낸다고 했다. 상아의 대량 발견은 이곳이 고대에는 기후가 따뜻했고 그래서 사람들도 맨발로 돌아다닐 수 있었다고 추정하는 근거가 된다. 금사유적의 발견은 청두의 역사를 3천 년 전 까지 거슬러 올라가게 했다.

사오십 분 정도 예상을 하고 갔던 금사유적지에서 우리는 한 시간 반을 보냈다. 금사유적지에서 나오니 대문에 두보초당으로 가는 티켓을 팔고 무료 운행 버스도 있었다. 시간은 어느덧 점심 12시 반, 나는 살짝 조바심이 나기 시작했다. 청두에 오기 전에는 청두 사람들의 느긋한 생활 방식을 즐겨보자고 다짐했건만 역시 내 의지대로 금방 바뀌지 않았다. 비행기 시간을 맞추려면 다섯 시간밖에 안 남았는데 그 시간에 세 곳을 전전하며 느긋하게 차까지 한 잔 할 수 있는 여유가 있을까 하는 의구심이 생겼다. 하지만 이제 와서 우리가 가려고 했던 한

곳을 뭉텅 제외시킬 수도 없었다. 그 세 곳은 우리가 다른 곳을 다 포기하고 최종으로 선택한 곳이기 때문이다. 이제 우리는 그냥 시간의 흐름에 맡길 수밖에 없었다.

녹음이 우거진 두보초당은 들어가자 한적한 분위기가 가득했다. 두보를 기리는 사당도 있고 중국의 옛 시인들과 그들의 작품도 진열되어 있었다. 이곳은 두보가 4년 동안 살면서 240여 편의 시를 지었다는 곳이다. 두보가 살았던 초가집은 그윽하게 우리를 바라보고 있었다. 나이 많은 어른이 따뜻하게 아이를 바라보고 있는 것 같았다. 이곳은 고난과 실의의 삶을 살던 두보가 마음의 안정을 얻었던 유일한 장소였다고 했다. 지금도 그곳은 여러 사람의 마음을 편안하게 해 주는 휴식처 역할을 하고 있었다.

대나무와 각종 나무가 쭉쭉 뻗어 올라 시원한 그늘이 이어진 정원은 금붕어가 노니는 연못도 있고 빨간 담벼락이 운치를 더해 주었다. 곳곳에서 계화나무의 그윽한 꽃향기가 기분을 한결 상쾌하게 해 주었다.

두보초당에서 나와서 곧장 진리로 향했다. 택시 기사는 우리가 택시 안에서 나누는 얘기를 잘못 듣고 콴자이샹으로 데려다 주었다. 다시 큰길로 나와 곧 진리에 도착했는데 기사는 자기가 에돌았다면서 돈을 적게 받았다. 이런 사소한 것에서도 그곳 사람들의 성품을 느낄 수 있었다.

일 년 사계절 흐린 날씨가 대부분이라 햇빛 볼 날이 별로 없다는 청두에선 이렇게 햇빛이 쨍쨍하고 하늘이 쾌청하게 푸른 날이면 집안의 모든 사람들이 거리로 나와 해바라기를 하면서 차를 마신다고 한다. 그래서 우리는 천천히 음미하면서 구경하려고 했으나 인파에 떠밀려 그냥 앞으로만 갔다.

2층집 높이의 건물들은 짙은 자주색의 나무기둥과 작은 빗살의 창문을 가진, 옛 건물의 형태를 고스란히 갖추고 있었다. 집집마다의 창문에 드리워져 있는 붉은색 등롱이 자주색의 목조 건물 그리고 녹음과 어울려 풍경을 만들어 냈다.

사천의 유명한 극인 얼굴변하기 연출을 보여주는 식당도 있고 도처에는 사천의 유명한 먹을거리를 파는 가게들, 그리고 엿을 녹여서 각종 형태의 사탕을 즉석에서 만들어 팔며 재주를 자랑하는 장사꾼들도 있었다. 인파에 섞여 걸으면서 이리저리 기웃거리다 구미를 끄는 음식이 있으면 줄을 서서 샀다.

역시 청두는 명실 공히 먹을거리의 천국이었다. 우리들의 후각을, 미각을, 시각을 자극하는 먹을거리는 위의 크기 따위는 애초에 잊게 만들었다. 그렇게 음식에 정신이 팔려 있다 보니 시간은 어느덧 늦은 오후가 되었다. 밤의 진리가 낮의 진리보다 훨씬 더 예쁘다고 했지만 더 늦출 수가 없었다. 우리는 마지막 여행지인 콴자이샹으로 향했다.

콴자이샹은 두 개의 골목을 뜻한다. 넓은 골목과 좁은 골목. 현재 청두에서 가장 인기 있는 있는 유람지로 상하이의 신천지와 텐즈팡을

한데 섞어 놓은 느낌이 들기도 했다. 주변의 건물들은 모두 백여 년 전의 모습을 그대로 보존하고 있는데 스타벅스도 여기에선 고전적인 건축형태에 자리 잡았다. 진리와는 또 다른 분위기였다. 진리는 목조 건물 위주라면 이곳은 짙은 회색의 시멘트 건물이 위주였다. 진리가 재래시장 같은 분위기라면 이곳은 레스토랑과 카페가 있고 갤러리의 분위기도 나는 세련된 곳이었다.

입구에 들어서서 얼마 걷지 않자 스타벅스가 나타났다. 어차피 남은 시간에 콴자이샹을 돌아봤자 수박 겉핥기식이 될 것 같아 우리는 아예 스타벅스에 들어가서 커피를 마시면서 휴식을 취했다. 콴자이샹은 이렇게 들어와 보기만 하고 떠나야 하는구나 하며 안타까워하는데 휴대폰에 문자가 떴다. 비행기가 한 시간 십 분 연착된다는 내용이었다. 우리는 덤으로 한 시간 십 분을 얻은 것이었다. 우리는 너무 기뻐서 어린애처럼 깡충깡충 뛰었다.

간절히 원하면 이런 뜻밖의 여유가 생기는 법인가 보다. 그리고 선물 같은 또 다른 일이 벌어졌다. 우리는 걷다가 어느 대문 앞에서 발걸음을 멈추었는데, 여든이 넘은 듯한 노부부가 대문 앞의 걸상에 앉아 유유하게 노래를 부르고 있었기 때문이었다.

'제일 아름다운 건 석양이죠. 따뜻하고 여유로워요. 석양은 늦게 핀 꽃, 석양은 오래 묵힌 술, 석양은 늦게 온 사랑, 석양은 끝나지 않은

정이라네…….'

익숙한 가사와 세월의 연륜이 묻어나는 노부부의 푸근한 목청이 나를 또 한 번 울컥하게 했다. 백발이 성성한 할아버지는 곡조에 맞춰 오른손으로 박자를 쳤고 할머니는 단정한 모습으로 옆에서 같이 따라 부르고 있었다. 무대도 없고 밴드도 없는 가장 단순하고 소박한 행복, 그 순간 나는 나의 할아버지와 할머니, 나의 어머니와 아버지를 떠올렸으며 나와 남편의 노후 모습을 상상했다. 사람들이 몰려들기 시작했다. 잠깐사이에 사오십 명은 될 만한 사람들이 빙 둘러서서 노래를 감상했다. 나처럼 울컥하는 감정을 어찌할 줄 몰라서 두 손을 기도하듯이 주먹을 꼭 쥐고 눈시울이 붉어진 여성도 있고 휴대폰을 꺼내 동영상을 찍는 사람들이 대다수였다.

감히 말하건대 이것은 내가 관자이샹에서 본 가장 아름다운 풍경이었다.

어둠이 서서히 골목을 감싸자 집집마다의 등롱에 불이 켜졌다. 거리는 현란하게 빛났다. 우리는 감동에서 미처 헤어 나오지 못한 채, 그 골목을 빠져나왔다. 정말로 청두와 작별을 고할 시간이었다. 택시에 앉자 문자가 들어왔다. 우연은 꼭 짝을 지어 온다던가. 비행기가 또 한 시간 딜레이 된다고 했다. 이 한 시간을 우리는 진리의 야경을 구경하기로 했다. 우리는 다시 진리로 향했다. 붉은 색의 등롱이 줄줄이 켜져 있는 진리는 요염한 여자로 탈바꿈한 것 같았다. 우리는 여유롭게 골목을 돌며 낮에 미처 맛보지 못했던 먹을거리들을 사서 먹었다. 바에서 고막을 자극하는 음악이 쾅쾅 울리고 또 다른 골목에선 혁명가요가 울려 퍼졌다. 어릴 때 학교에서 배웠던 노래였다. 우리는 신나게 혁명가요를 큰소리로 부르며 당당하게 골목을 걸었다.

혹시 여행하고 싶다면, 그래서 가슴 뛰는 경험을 하고 싶다면, 사랑하는 사람들이여. 걸어라, 걸어라. 바로 우리처럼. 그러면 모든 것이 운명처럼 당신의 여행을 도울 것이다.

친구를 사귀고 인문을 배우다
-타이완 기행 1

타이완으로 여행을 간다고 했을 때 주위의 반응은 시큰둥했다. 타이완에 구경할 게 뭐 있냐는 거였다. 산으로 치면 중국의 황산만큼 웅장하고 멋진 산이 없을 테고, 호수도 작고 볼 멋이 없다는 거였다. 어릴 때 교과서에서 배운 '아름다운 보배섬 타이완'의 일월담도 가보면 그냥 항저우 서호의 한 귀퉁이를 떼다 놓은 것보다 못하다는 것이다. 모르는 소리다. 타이완은 풍경보다는 인문이라는 걸 그들은 모른다. 단체로 우르르 몰려서 갔다 온 사람들은 하나같이 타이완이 재미없다고 입을 모았지만, 우리는 물론 단체 여행을 따라 갈 생각은 애초에 없었다.

우리의 진짜 여행은 목적지가 정해지는 그 순간부터 시작되었다.

우리는 SNS에서 타이완 여행 그룹을 만들어 열렬히 토론을 했고 그

것도 성에 차지 않으면 만나서 토론을 했다. 그때부터 우리는 공동의 여행 목표를 위해 서로가 아는 것을 전부 공유하며 흥분에 들떴다. 타이완 여행은 반년 전부터 프로젝트를 진행하듯 치밀하게 계획되었다. 나와 동창 그리고 한족 친구 둘, 이렇게 넷이 일단 타이완 지도를 놓고 북에서 남으로 내려가면서 타이완을 한 바퀴 구경하기로 정하고 7박 8일로 날짜를 정했다. 티켓을 구입하고 호텔을 예약하고 렌터카와 고속 열차 티켓을 주문하는 일까지, 일사천리로 진행되었다.

사면이 산으로 둘러싸인 타이베이 시는 아름다웠다. 파란 하늘 아래 눈부신 하얀 건물들, 마치 도시 자체가 하나의 거대한 공원 같았다. 우리는 단체 여행과는 확실히 차별화되는 코스를 원했으므로 첫날 오후에 양명산으로 갔다. 작열하는 태양을 피하는 최상의 선택이었다. 타이완에 오기 전에 태양이 장난이 아니라는 건 예상하고 있었지만 정말로 살갗을 당장 태워버리기라도 하듯이 불처럼 뜨거웠다.

그런데 산 속은 완전히 다른 세계였다. 무성한 숲이 우거져 서늘한 그늘을 만들고 있었고 온갖 벌레의 합창이 응원단이라도 되듯이 이어졌다. 그날이 마침 일요일이라 가족 동반으로 산책을 나온 현지 사람들이 많았는데 나이 든 분들도 꽤나 있었다. 산 아래로 보이는 도시의 전경도 아름다웠다. 산등성이에도 평지가 많아 배드민턴도 칠 수 있고, 도시의 사람들에게 쾌적한 휴식처가 되고 있었다.

막차를 타기 위해 기다리는 동안 우리는 현지의 할머니들과 이야기를 나누었다. 굉장히 친절하고 예의 바른 할머니들이었다. 타이완에 오면 그곳 사람들과 대화를 하는 것이 그 곳을 알아가는 가장 좋은 방법이다. 그들은 우리에게 타이베이에서 여행하기 좋은 곳을 알려 주었고, 그 말을 따라 우리는 담수옛거리로 갔다.

이런 곳을 돌면 서민들의 생활을 가장 잘 알 수 있었는데, 담수옛거리에는 오뎅 박물관도 있고 해산물 식당이 즐비했다. 가격이 싸고 양도 엄청났다. 저녁을 먹고 나서 뒷길로 들어갔더니 이내 바다가 펼쳐졌다. 뱃고동 소리가 울리고 양옆으로는 먹자골목이 즐비했는데 특히 오징어 튀김이 인상적이었다. 오징어를 빳빳하게 펴서 튀겼는지 굉장히 컸다. 젊은이들이 바닷가의 벤치에 앉아 휴식을 하고 있었고, 부르릉거리며 오토바이를 타고 먹자골목에 와 먹을거리를 사들고 가는 청춘 남녀도 있었다. 청춘은 타이완의 밤을 더욱 활력 넘치게 만들었다.

담수옛거리를 떠나 제일 유명하다는 쓰린 야시장을 찾아가는 길에도 오토바이족을 흔하게 볼 수 있었다. 대개는 십 대에서 이십 대의 젊은 청년이었는데 뒤에는 고만한 나이의 여자가 모자를 쓰고 남자의 허리를 꼭 껴안고 있었다. 신호등이 푸른빛으로 바뀌면, 경주라도 하듯 일제히 달리는 오토바이족은 타이완의 또 하나의 진풍경이었다. 타이완 영화에서 자주 보던 장면이었는데 실제로 보니 참으로 이상한 기분이었다. 오토바이는 젊은 층이 선호하는 교통수단인 것 같았다. 젊음의 상징인 것 같기도 한 오토바이족들이 너무 멋있어 보였다.

쓰린 야시장에는 이 세상의 온갖 먹을거리가 망라되어 생전 처음 보는 듣지도 보지도 못했던 음식들이 가득 있었다. 중국 북방에서 겨울에나 볼 수 있는 빙탕후루도 있었고 신강 위구르족의 양꼬치도 있었고 쌍하이 쑈롱뽀우즈도 있었다. 그 자리에서 직접 갈아서 파는 각종 과일 주스며 전, 해물 구이가 이미 저녁을 포식한 우리들의 위장을 자꾸 자극했다. 우리는 먹음직한 굴을 파는 집에 들어가 자리를 차지하고 앉았다. 굴 네 개에 타이완 돈으로 100위안이라니 엄청 쌌다. 우리는 굴도 시키고 소라도 시켰다. 바다 냄새가 나는 신선한 굴과 소라를 오향료(다섯 가지 맛이 나는 향료)와 겨자 소스, 레몬즙에 찍어서 먹으니 끝내주게 맛있었다. 뭔가 2%가 부족했는데 이걸 먹고 나니 그게 채워진 느낌이었다.

쓰린 야시장을 떠나올 때부터 번개가 번쩍이더니 우리가 호텔 입구에 들어서는 순간, 장대 같은 소낙비가 퍼붓기 시작했다. 호텔에 도착하자마자 우리는 땀투성이가 되었다 말랐다 하기를 수십 번은 한 몸을 샤워로 풀어 줬다. 미백 팩을 붙이고 노곤하게 누워 그날 찍은 사진을 주고받다 보니 어느새 시간은 자정을 훌쩍 넘어 새벽 두 시 반이 되었다.

아침 다섯 시에 일어나 비행기를 타고 와서 이튿날 새벽 두 시 반에 잠자리에 들었으니 우리 인생에 손꼽힐 만큼 상당히 긴 하루였다.

몇 시간이라도 눈을 붙여야 했다. 이튿날에도 일정이 빡빡했기 때문이었다. 그래도 쉽게 잠들지 않고 가슴만 두근두근 했다. 그러고 보면 여행은 결코 여유만만하게 편히 보내는 일은 아니었다. 출근하는 것보다도 훨씬 더 많은 체력을 필요로 했다.

그런데 참으로 이상한 건 내가 타이완에 오기 며칠 전부터 계속 몸살 기운이 있어서 링거를 맞을까 말까 하다가 결국은 버텨보자 하고 왔었는데, 종일 찜통 같은 무더위에 시달리고 그렇게 많이 걸었어도 다음날 일어나면 온몸이 가뿐하고 몸살 기운은 온데간데없이 자취를 감추었다. 청년들의 기를 받아 그런가. 나는 천상 여행 체질인가 보다.

전날 밤에 폭우가 내려서 기온이 좀 내려갈 줄 알았는데 이튿날도 태양은 한 치의 양보도 없이 뜨거움을 한껏 발산했다. 우리는 태양을 피할 생각으로 국립고궁박물관부터 찾아갔다.

양명산 산자락에 자리 잡은 고궁박물관의 하얀 지붕이 햇빛 아래 눈부시게 빛났다. 고궁박물관에 보물이 많다고는 들었으나 이렇게 많을 줄은 몰랐다. 불상부터 시작해서 옥기, 청동기, 서예와 회화……학창 시절 교과서에만 배웠던 내용을 직접 눈으로 보고 해설을 들으니 감탄이 절로 나왔다. 하루 종일 돌아도 다 못 돌 것 같았다. 아쉬운 대로 세 시간의 관람을 마치고 밖으로 나왔다. 몇 천 년의 유구한 중국 역사를 압축시켜서 반나절에 다 배운 셈이었다. 이제 그 여운을 두고두고 되풀이하며 천천히 소화해야 할 몫만 남았다.

타이베이에서 이틀을 보내고 우리는 남으로, 남으로 내려갔다. 타이완 남부의 날씨는 환상적이었다.

아리산은 천 년, 이천 년 된 아름드리 신목神木이 많은 것으로 유명했다. 아리산에 가는 날도 기온은 37도를 웃돌고 있었으나 산속은 17도였다. 갑자기 다른 나라로 들어선 듯했다. 또 청정 초원은 어떤가. 청정 초원으로 가는 길에는 푸른 하늘과 손을 내밀면 금세라도 닿을 것 같은 하얀 뭉게구름이 지치지 않고 여러 모양으로 변하며 기분을 상쾌하게 해 주었다.

나는 바깥의 경치에 완전히 넋을 잃고 끝없는 추억 속으로 빠져들었다. 어릴 적 고향의 뒷구들에 누워서 하염없이 흘러가는 구름을 바라보던 그때로 돌아간 것 같았다.

혼자 보기가 아까워서 같이 간 친구들한테 "저기 좀 봐봐, 어머머, 두 마리 양이 입맞춤을 하네. 지금은 아기 천사가 구름 위에 누워있는 것 같아……." 하고 감탄을 연신 토했지만 이공계 출신이라 그런가, 세 친구들은 아무런 감흥도 관심도 없고 자신의 휴대폰만 들여다보고 있었다. 이런 친구들이라니! 구름은 빠르게 변하고 차는 달리고 있어 그 순간을 카메라에 다 담지 못하는 것이 한스러웠으나 어쩌랴.

나는 <하루키의 여행법>에서 하루키가 한 말에 대해 전적으로 동의한다. "여행을 할 때 그저 그때그때 눈앞의 모든 풍경에 나 자신을 완전히 몰입시키려 한다. 눈으로 정확히 보고 머릿속에 정경이나 분위기,

소리 따위를 생생하게 새겨 넣는 일에 의식을 집중한다. 눈에 보이는 모든 것이 내 귀에, 내 피부에 스며들게 한다. 내 온몸으로 받아온 것이라야 나중에 글을 쓸 때도 살아 있는 글이 나온다." 나는 내 온몸으로 조용히 그곳의 구름과 하늘을, 바람처럼 스쳐 지나가는 산과 나무를 느꼈다.

청정 초원은 해발이 높은 곳에 있어서 제법 시원했다. 내몽골 초원에 비하면 빙산의 일각 정도에 그칠 자그마한 목장 초원이었지만 아기자기하고 생태계 그대로를 잘 체현한 이곳에 오니 유유히 풀을 뜯고 있는 양떼들처럼 우리의 몸도 마음도 자유로웠다. 나는 산들바람에 몸을 맡기고 한껏 자유를 만끽했다. 거기다가 운 좋게 오후 두 시 반에 시작되는 염소쇼까지 볼 수 있었다. 그저 책에서 들어보기만 했던 양치기 소년과 방목견의 멋진 광경을 눈으로 직접 보고 양털 깎는 쇼도 구경했다.

양치기들은 드르륵거리는 기계를 날렵한 동작으로 움직이며 마치 우리가 사과나 배 껍질을 깎듯이 날렵한 동작으로 깎아나갔다. 순식간에 염소는 두터운 털옷을 벗고 날씬하고 시원한 몸매를 드러냈다. 내 머릿속까지 구름이 걷힌 듯했다. 털을 깎는 내내 숨을 졸이고 있던 나는, 속까지 시원해져 숨을 한 번 크게 들이마셨다.

타이완행에서 빼놓을 수 없는 곳은 꼬우슝高雄의 씨즈완西子灣이다. 작은 섬이라 자전거를 타고 섬을 한 바퀴 돌면서 구경할 수 있는 코스이다. 우리는 2인용 자전거를 타고 석양이 지는 해변 도로를 달렸다.

미풍이 불어와 우리의 발갛게 익은 얼굴을 식혀 주었고 우리는 마치 학창 시절로 돌아가기라도 한 듯 잔뜩 부풀어 올랐다. 석양을 구경하러 온 여행객들과 사진작가들이 있었다. 우리는 운 좋게도 현지의 사진작가를 만나서 석양을 배경으로 멋진 실루엣을 남길 수 있었다. 섬에서 나와서는 그 곳에서 가장 유명한 큰 그릇 빙수를 사먹으며 더운 열기를 한꺼번에 싹 식혀 버렸다.

우리는 더 남쪽으로, 타이둥台東이라는 곳으로 내려갔다. 그곳에서 제일 유명하다는 열기구 테마 파크는 마치 우리를 위해 열어 놓은 축제 같았다. DJ가 분위기를 한껏 끌어 올려서 마치 열린 음악회 같은 분위기였다. 초원처럼 넓은 푸른 잔디 위엔 사람들이 열기구가 올라가는 걸 구경하기 위해 모여 앉아 있었고 경쾌한 음악이 쉴 새 없이 울려 퍼졌다. DJ가 하나 둘 셋을 외치자 열기구에 일제히 불이 켜졌고, 어둠이 섞이기 시작한 하늘을 배경으로 열기구가 오색영롱하게 빛났다. 저녁엔 타이둥 시내로 들어가서 택시 기사가 추천해 준 맛있는 취두부를 먹었다. 바삭바삭하게 튀겨진 데다 김치를 곁들여 먹으니 진짜 별미였다.

"이곳의 바람은 달콤해요."

택시 기사는 차창을 내리고 상큼한 밤공기를 마시게 해 주며 타이둥이 무공해 도시라서 공기가 좋다며 자부심에 차 있었다.

우연한 만남은 다시 인연이 된다
-타이완 기행 1

여행의 막바지 즈음, 우리는 아침 일찍 화롄花蓮으로 떠났다.

렌터카 기사는 '별그대'에 나오는 '도민준'을 살짝 닮은 얼굴이었다. 그는 친절하게 가이드를 해 주었고 우리의 사진기사까지 되어 주었다. 타이둥에서 화롄으로 가는 길은 해안선을 따라 구불구불 이어졌다. 창밖으로 펼쳐지는 풍경은 전부가 푸르른 바다였다. 눈이 즐거운 빛나는 푸른 바다. 심장이 두근거렸고 나는 달렸다. 가는 도중에 볼거리들이 여러 개 있어서 지루할 새가 없었다. 아래에서 위로 올라가는 물줄기, 아치형 다리, 삼선대, 풍화 작용으로 형성된 계단식의 암석, 심지어 여행코스로 알려지지 않은 비밀스런 곳까지 우리는 구경할 수 있었다. 렌터카로 타이둥에서 화롄으로 가는 이 코스는 꼭 추천하고 싶다.

화롄은 타이완의 제일 남쪽인데다 바다를 끼고 있어서 태풍의 영향을 많이 받는다고 했다. 그 곳 건물의 벽은 새것과 낡은 것이 섞여 있었는데, 태풍의 피해를 받아서 새로 지었기 때문이라고 했다. 그럼에도 길 왼쪽에 죽 늘어선 특색 있는 민박은 수시로 우리의 마음을 설레게 했다. 그리스의 산토리노에 있는 집처럼 파란 벽에 흰 지붕을 올린 민박은 적어도 반 년 전에 예약을 해야 할 만큼 인기가 대단하다고 했다.

화렌에서 빼놓을 수 없는 곳은 칠성담 바닷가와 태로각이다. 칠성담七星潭 이름대로라면 호수가 있어야 하는데, 호수는 아니고 해변가를 부르는 말이다. 칠성담의 유래는 청조시기로 거슬러 올라가야 한다. 그때 대만에 대한 도서에는 화렌의 크고 작은 습지호수 몇 곳을 가리켜서 칠성담이라고 불렀다 한다. 그런데 1936년 일제시기에 비행장을 지으면서 칠성담을 다 메워 버렸다. 그리하여 그곳 주민들은 할 수 없이 해변가로 옮겨가서 살게 되었다. 그러면서 자신들이 옮겨가서 살게 된 해변 일대를 칠성담이라고 불렀다. 또 칠성이라고 부른 것은 이곳이 예전에 날씨가 좋을 때면 저녁에 별이 총총한데 특히 북두칠성이 뚜렷하게 잘 보여 그렇게 이름을 붙였다는 전설이 있다. 어쩌면 고향을 그리워하는 마음을 달래려고 별을 바라보던 심정이 칠성담에 반영되어 있는지도 모른다. 칠성담의 바닷가는 부드러운 백사장이 아니고 자갈로 덮여 있어서 건장한 남자를 방불케 했다. 우리는 바닷소리를 들으며 자갈도 줍고 물장구도 쳤다.

칠성담에서 조금 더 내려가면 태로각 공원 지대에 들어선다. 태로각은 대만 지형을 남북으로 가로지르는 해발 삼천 미터 이상의 산맥에 위치한 화롄의 협곡인데, 산맥을 관통하는 군사도로를 협곡절벽을 뚫어 도로를 만든 것이다. 태로각이란 발음은 타이완 소수 민족의 언어에서 따온 건데 위대한 산맥을 뜻한다. 태로각 국가공원의 특색은 협곡과 한 면을 깎아 낸 듯한 단암이다. 우리는 동서 횡단 도로에 도착해 태로각 협곡의 관광을 시작했다.

연자구燕子口를 구경할 땐 헬멧을 쓰고 풍경구에 들어갔다. 낙석의 위험이 있기 때문이라고 했다. 양쪽은 아스라이 솟은 절벽이고 아래쪽은 좁은 계곡이 구불구불 이어지고 있었다. 연자구를 지나니 '도민준'이 입구에서 우리를 기다리고 있었다. 우리는 다시 차에 올라 잠깐 달려 단암이라는 곳에 도착했다. 여기 역시 태로각 공원의 일부다. 산의 한 면을 반듯하게 깎아서 세워 놓은 듯한 곳이었다. 여기에 뭘 구경할 게 있다고 하는 생각을 하고 있는데 '도민준'은 허리를 완전히 뒤로 꺾어 머리를 하늘로 향하게 하면서 우리보고 따라 하라고 했다. 어렵사리 허리를 뒤로 꺾어서 하늘을 올려다보니 우리의 시야에 들어온 건 타이완 지도였다. 협곡으로 둘러싸여 일부분만 보이는 하늘은 분명히 타이완의 모습이었다. "저기가 타이베이고 저기가 꼬우슝, 그리고 화롄은 이쪽에." 하면서 우리는 감탄을 연발했다. 어쩜 이렇게 기막힌 하늘 지도가 있단 말인가! 참으로 자연의 신비한 조화였다. 자연은 자신의 진면목을 알아 봐 줄 사람에게만 진짜 아름다운 모습을 허용하는 것일까.

또 하나의 유명한 풍경지는 장춘교다. 푸른 산을 배경으로 빨간 장춘교가 유난히도 눈에 띄었다. 장춘교를 지나 암벽을 뚫어서 만든 길을 건너면 장춘사라는 절이 있는데, 비문에는 이곳 동서 횡단 관통로를 만들 때 희생당한 사람들의 이름이 적혀 있었고 누가 제일 먼저 희생되었는지가 소개되어 있었다. 공사 중 목숨을 바친 수백 명의 영혼을 모시는 절이었다. 수백의 순결한 영혼이 호위하는 곳이라 그런가. 장춘사에서 바라보면 어디나 절경이었다.

저녁을 먹으러 화롄 시내의 번화한 거리를 몇 번이고 돌았으나 딱히 뭘 먹어야 할지 마땅치가 않아서 결국은 야시장으로 가기로 했다. 타이베이의 쓰린 야시장보다는 규모가 훨씬 작았으나 저녁 식사 시간이라서 그런지 인파가 시내를 가득 메웠다. 우리는 각자 나뉘어져서 먹을거리를 사러 다녔다.

저녁을 야시장에서 해결하고 이 날부터 시작한다는 화롄 여름맞이 카니발 구경에 나섰다. 타이완과 대륙에 유명 가수로 알려진 판웨이버도 왔다고 하니 기대가 되었다. 우리가 갔을 때 카니발은 거의 끝날 무렵이었는데 옆 사람에게 물어보니 아직 판웨이버의 차례가 되지 않았다고, 제일 마지막에 나온다고 했다.

그때는 평쟈후이란 여가수가 노래를 부르고 있었다. 그녀 역시 유명한 가수다. 그녀가 부를 다음 곡은 '루강샤오전鹿港小鏡'이라는 제목이었다. 노래는 들어본 적 없지만 이 이름을 듣는 순간 상하이에 있는 같은 이름의 타이완 레스토랑을 떠올렸다. 상하이식 인테리어에 우아하고 편안한 느낌을 주는 환경, 그리고 타이완 요리의 기초에 사천, 호남, 광동 요리의 맛을 가미해 자신만의 또 다른 특색 요리로 유명한 곳이다. 그 레스토랑의 또 하나의 특색은 서빙하는 모든 여성들이 검정색 바지를 입고 남자들처럼 짧은 헤어스타일을 고수한다는 점이다.

평쟈후이는 노래를 부르기 시작했다. 옛 노래를 새로 각색해서 부르는 로큰롤 음악이었는데 가사가 사람의 심정을 애잔하게 만들었다. "타이베이는 내가 상상하던 황금천당이 아니야. 도시에는 내가 애초에 꿈꾸던 것이 없어. 꿈속에서 나는 다시 루강마을로 돌아왔지. 절에서 불공을 드리는 사람들은 여전히 신실했어. 세월은 엄마아빠의 순박한 웃음을 감추지 못했고……." 그것은 고향을 떠나 대도시로 나온 나와 같은 사람들이 고향을 그리는 노래였다. "타이베이는 나의 집이 아니야. 나의 고향에는 네온사인이 없어. 루강의 거리, 루강의 어촌, 마조묘에서 향을 태우는 사람들……." 하는 대목에 가서 나는 그만 눈물을 떨구고 말았다.

감동에서 아직 헤어 나오지 못하고 있을 때 판워이뷔가 등장했다. 그가 등장하자 광장은 환호의 도가니였고 그는 빼어난 춤 솜씨와 가

창력으로 청중을 빨아들였다. 빠르고 경쾌한 동작 하나 하나에 나는 혼이 쏙 빠져버린 것 같았다. 그는 이내 땀투성이가 되었지만 전혀 흐트러짐 없이 춤과 노래에 열중했고 청중은 열광했다. 온 광장의 사람들이 그의 노래에 맞춰서 같이 노래를 부르고 환호를 질렀고, 그 시각 우리는 현지 사람들과 완벽히 하나가 되었다. 덤으로 받은 이 기쁜 순간은 여행이 주는 축복이며 선물이라고 할 수밖에 없었다. 이것이 여행의 묘미 아니겠는가. 여행하는 동안 길을 몰라서 헤매기도 했고 우리가 정했던 코스대로 가도 기대와 어긋나 실망한 적도 있지만, 인생은 이런 큰 기쁨이 기다리고 있는 것이다.

저녁엔 바다가 보이는 '창밖의 바다'라는 한국 민박집에서 보냈다. 남자 주인이 한국인이고 여자주인은 화렌 현지 사람이었다. 둘은 미국에서 유학을 하는 중 알게 되었고 지금은 애를 둘 낳고 민박을 하고 있다고 했다. 그 다음날 깔끔하게 아침을 챙겨 주던 친절한 그들을 뒤로하고 우리는 화렌을 떠났다.

내가 좋아하는 타이완의 작가이며 학자인 룽잉타이는 '문화란 무엇인가'라는 칼럼에서 이렇게 말했다. '문화? 그것은 마주친 사람의 일거수일투족에, 그의 눈빛 하나 하나에 나타나는 종합적인 기질이다. 그가 나무 옆을 지날 때 나뭇가지가 드리워졌다면 그는 손닿는 대로 그냥 나뭇가지를 부러뜨릴 것인지 아니면 몸을 굽혀서 지나갈 것인지? 온

몸에 종기가 가득한 떠돌이 개 한 마리가 그에게 다가올 때, 그는 안쓰러운 마음으로 피할 것인지 아니면 한 발로 걷어찰 것인지? (……) 문화라는 건 극장이나 미술관에 있는 게 아니라 대대로 쌓아 오며 침전된 습관과 신념이며 생활의 실천 속에 침투된 것이다.'

그 말대로라면 여행 내내 타이완 사람들이 보여줬던 모든 것이 바로 타이완의 문화이다. 그들의 문화는 그들의 살랑살랑한 말투만큼이나 사랑스럽다. 길을 물어보면 전화를 받다가도 달려오고, 우리가 물어본 곳을 잘 모르면 114에 전화까지 해서 알려 주는 마음 씀씀이가 그러하다. 또 타이베이 고궁박물관으로 가던 날 버스에서 친절하게 가이드를 해 주던 키 큰 중학생, 버스에 오르는 장애인이나 노인들을 성급해하지 않고 인내심 있게 기다려 주는 타이베이의 운전기사, 손님들이 오르내릴 때마다 "안녕하세요."와 "감사합니다."라고 일일이 인사하던 꼬우슝의 시내버스 운전기사……. 이것이 바로 우리가 매 순간 보고 느끼는 타이완의 문화다.

여행할 때는 여유가 없었지만 지나고 보니 그 풍경이 벌써 그리워진다. "이곳의 태양은 사람을 물어요."라고 하던 타이둥의 민박집 사모님, "이곳 바람은 달콤해요."라고 하며 우리에게 친절하게 가이드가 되어 준 택시 기사, 기꺼이 우리의 가이드가 되어 준 화롄의 도민준……. 그는 우리에게 타이완의 옥돌을 선물로 하나씩 주었다.

타이완 사람들의 좋은 이미지를 지켜서 우리가 타이완에 대해 좋은 추억만 갖도록 하겠다고 얘기한 '도민준'은 지금도 우리와 연락하는 친구가 되었다. 씨즈완에서 우리에게 멋진 신기루 사진을 찍어 주었던 사진작가도, 쟈이에서 만난 장사꾼기질 다분한 렌터카 아저씨도 가끔씩 우리에게 씨즈완의 멋진 사진을 보내온다.

나는 집에 와서 펑쟈후이의 '루강사오전' 노래를 연습했다. 이제 그 노래는 나의 새로운 십팔번 곡이 되었고 나는 그 노래와 펑쟈후이를 소재로 하나의 이야기를 구상 중이다.

더운 날씨에 강행군하느라 결코 쉽진 않았지만 사진 하나하나에 담겨있는 스토리가 늘 타이완의 아름다움을 기억하게 만든다. 다음에는 가족들과 벚꽃 만발한 4월에 와서 아리산에서 빨간색 기차를 타야겠다.

이색적인 데이트
-남편과의 유럽 여행

돈도 별로 없던 연애 시절에 남편과 떠난 유럽 여행은 지금 생각해도 너무 행복한 경험이었다.

스마트폰도 없었던 시절, 사진은 필름 카메라로만 찍어서 이젠 뿌옇게 색이 바랬지만 이 사람 저 사람한테 물어 가며 여행 지도를 들고 밤차를 타고 다녔던 그 여행이 지금껏 다녔던 그 어떤 여행보다 더 오래 기억에 남는다.

때는 구정 대목이었고 우리는 독일의 프랑크푸르트에서 네덜란드로, 네덜란드에서 파리로, 파리에서 다시 독일의 하이델부르크와 프랑크푸르트에 돌아가는 코스를 정했다. 프랑크푸르트에서 밤차를 타고 네덜란드에 도착했을 때는 새벽 네 시경이었다.

길치인 데다 영어도 잘 못하는 내가 혹시라도 길을 잃어버려 국제 미아가 될까봐 남편은 늘 나더러 한곳에 꼼짝 말고 있으라고 당부를 하고는 여기저기 뛰어다니며 티켓을 구하고 길을 물었다. 네덜란드 기차역에서 마셨던 에스프레소 커피는 지금껏 내가 마셔 본 커피 중에서 제일 맛있는 커피였다. 따끈따끈하고 진한 커피향은 새벽 네 시에 막 차에서 내려 어디로 갈지 몰라 헤매는 우리의 몸과 마음을 따뜻하게 덥혀 주었다.

암스테르담은 집과 집 사이에 전부 강이었고 강에는 배가 즐비했다. 꽃 시장에는 튤립을 비롯한 온갖 꽃이 만발했다. 명품 시계를 파는 가게도 많았다.

우리는 반 고흐의 박물관에 들렀다가 박물관 앞 광장에서 벤치에 앉아 햇볕도 쬐었다. 비둘기들이 꾹꾹거리며 친구하자고 우리 발 밑을 맴돌았다. 거기서 버스를 타고 여행지로 가려고 했는데 그만 깜빡 잊고 그 역을 지나쳐서 우리는 그냥 버스 종점까지 갔다가 다시 그 버스를 타고 종점 역까지 왔다. 어차피 여행은 종점 역이 중요한 게 아니라 그 과정이 중요하지 않은가. 나와 남편은 어깨를 맞대고 의자에 몸을 맡긴 채 겨울 낮의 푸근한 햇살을 받았다. 차창 밖으로 펼쳐지는 이색적인 풍경을 말없이 감상한 것으로 우리는 충분히 그날 여행의 주인공이었다.

파리는 듣던 바와 같이 낭만의 숨결이 확확 느껴졌다. 검정코트를 걸치고 금발의 머리를 한 파리지앵들이 풍기는 분위기 자체가 낭만적이었다. 참 이상하게도 다 좋았다.

독일의 프랑크푸르트가 고즈넉하고 질서가 잡힌 분위기라면 파리는 발랄하고 달콤한 기류가 흘렀다. 전철에는 '베사메무쵸'를 연주하며 돈을 구걸하는 파리식 거지가 있었다.

새벽에 파리에 도착하자 개선문을 구경했고 그 다음엔 노트르담 성당을 구경했다. 노트르담은 위고의 유명한 작품 '노트르담의 꼽추'로도 유명하다는 건 모두가 아는 사실일 테다. 회색의 고딕 건축물은 꽃잎을 겹겹이 둘러싼 장미 문양의 스테인드글라스를 정 가운데로 좌우 대칭으로 생겼다. 그때만 해도 신앙이 없었던 나였지만 노트르담 성당 안에 들어가니 장엄하고 고요한 분위기에 저도 모르게 숙연해졌다.

노트르담 성당에서 나와 우리는 지하철을 타고 파리의 변두리에 있는 몽마르트 언덕으로 갔다. 몽마르트 언덕은 파리에서 가장 높은 산에 지은 건물이다. 이국적인 흰빛의 샤크레 쾨르 성당은 멀리서 보면 궁전을 방불케 했다. 이 건물에는 세 개의 커다란 아치형 문이 있다. 가장 인상적인 곳은 자잘한 조각들의 칠색 유리로 이루어진 좁고도 높은 창문이다. 이곳엔 성경 속의 이야기가 그대로 체현되어 있다. 이곳은 언젠가부터 노천화실이 되어 젊은 화가들이 사생을 즐기는 곳이 되었다고 했다. 주변에서 그림을 그리는 예술가들을 심심찮게 볼 수 있었다.

노트르담은 사람들이 기도를 하고 소원을 비는 곳이라면 몽마르트 언덕은 훨씬 더 예술적인 분위기가 다분하고 자유스러운 느낌이었다. 개인적으로는 몽마르트 언덕이 노트르담보다 훨씬 더 좋았다.

오후에 우리는 에펠탑이 있는 샹 드 마르스 공원으로 갔다. 멀리 철제의 에펠탑이 보였고 가까이서 본 에펠탑은 상상했던 것보다 훨씬 거대했다. 전망대에 올라가서 파리시 전경을 보면 전망이 좋겠지만 비싸서 올라갈 엄두는 못 내고 공원에서 산책을 했다. 서로 붙잡는 장난을 하는 연인들도 있었고 여자 친구를 업고 걸어가는 남자도 있었다. 느긋하게 오후를 즐기는 사람들의 모습이 보기 좋았다.

저녁에 다시 에펠탑으로 가는 길에 다리에서 앞서가던 젊은 청년 둘이 갑자기 우리한테로 얼굴을 돌렸는데 얼굴에 괴물형태의 가면을 쓰고 있어서 나는 악 하고 소리를 질렀다. 그러고 나서 우리 넷은 누가 먼저라 할 것 없이 깔깔대며 웃었다. 장난기 심한 청년이었다. 놀란 가슴을 진정시키며 에펠탑 밑에 도착해 노랗게 불 켜진 에펠탑을 구경했다.

이제 에펠탑은 낮에 봤던 거대한 철제 건물이 아니라 하나의 예술품이었다.

불이 켜지면 에펠탑을 제외한 모든 불빛은 배경이 되었다. 사람들은 저마다 탄성을 질렀다. 저녁의 거리 또한 낭만이 넘쳐흘렀다.

하지만 낭만이 배까지 채워 주길 바랄 수는 없었다. 연속 나흘을 밥

알 구경도 못하고 피자로 때웠더니 밥이 먹고 싶어 미칠 것 같았다. 세 느강변 끝자락에서 우리는 드디어 중국 음식점을 발견했고 마치 콜럼 버스가 신대륙을 발견하기라도 한 듯 반가웠다. 음식점은 홍콩사람이 운영하고 있었다. 우리는 그렇게 여행에 지친 위장을 달랬다.

우리가 집에서 같은 음식을 먹었더라면 당연히 다른 생각을 하고 있었을 것이다. 하지만 여행하는 동안은 식사를 한 다음에 맞닥뜨릴 것은 일상이 아니라 여행이었으므로, 우리는 평상시와 같은 식사여도 훨씬 낭만적이고 여유로운 대화를 나눌 수 있었다.

그 유명하다는 루브르박물관도 가 볼 생각을 못하고 우리는 이틀 동안 파리의 골목골목을 돌며 마음으로 파리를 느꼈다. 상하이의 하늘을 찌를 듯이 우뚝 솟은 모던한 빌딩숲과는 달리 이곳의 빽빽하게 들어선 빌딩은 몇 백 년은 족히 될 역사를 자랑하고 있었다. 남부의 해변 도시 니스로 가고 싶었으나 일정이 여의치 않아 다음으로 미루고 우리는 독일로 갔다. 이틀 동안 우리의 귀를 즐겁게 하고, 수도 없이 들었던 "Merci"하는 파리지앵들의 감미로운 목소리를 마음에 간직한 채.

독일의 하이델베르크는 대학의 도시였다. 남편과 나는 성곽을 둘러보고 눈싸움도 했다. 빨간 지붕의 집들과 흰 눈 쌓인 거리를 지나 대학가를 구경했다. 좁은 골목은 명절 분위기로 차고 넘쳤고(그 나라 사람들이 구정을 쇠는 것도 아니었는데) 고소한 먹을거리 냄새가 코와 위를 자극했다. 우리는 핫도그와 커피를 사 들고 여러 가지 깃발로 아름답게 장식된 하이델베르크의 골목을 여유롭게 거닐었다. 대학 건물에도 잠깐 들러 도서관에서 계단에서 책을 들고 독서 삼매경에 빠진 젊은이들의 모습에 마치 나도 잠시 동안 그 대학의 학생이 되어버린 듯한 착각에 빠지기도 했다.

하이델베르크 뒤로 흐르는 강 이름은 '네카'인데 켈트족이 4세기에 지은 이름이고, 그 뜻은 '야생의 남자'라고 했다. '야생의 남자'라는 말을 듣고 정글을 누비는 근육질의 남자를 떠올렸다가 나는 비가 오면 부풀었던 고향의 아름다운 도랑을 떠올렸다. 이곳은 홍수가 자주 났었다고 하는데 물이 불어나면 휘몰아치는 물의 힘을 그렇게 부른 것 같았다. 불어난 물이 도시를 휘돌아 나가면, 그 오랜 옛날 철학자며 시인들이 무슨 상상을 했을까. 그 곳의 다리는 이름이 '오래된 다리'인데 옛날 나무다리를 지나며 괴테가 그 앞으로 펼쳐진 풍경에서 영감을 얻었다고 한다. '오래된 다리'가 있으면 '새로운 다리'도 있을 것이겠지. 그런 생각을 했는데 정말 있었다. 흔히 '퐁네프 다리'가 '새로운 다리'라는 뜻이라던가. 사람의 생각이란 참 재미있게도 어디서나 비슷한가 보다.

문득 괴테가 그 풍경에서 얻은 글이 무엇일까 궁금해졌다. 혹시 '나뭇가지 너머에서'라는 시를 읊조리진 않았을까?

모든 나뭇가지마다에

고요한 휴식,

나무 꼭대기란 꼭대기에서는 모두

숨마저 멎고,

숲속의 새들조차 잠잠한데,

그저 잠시 기다려보세,

그대에게도 휴식은 올 걸세.

여행의 마지막 날은 밸런타인데이였다. 우리는 그날 프랑크푸르트의 뢰머 광장으로 갔다. 그곳은 프랑크푸르트에서 가장 대표적인 곳으로 유명한 관광 거리다. 성냥갑처럼 예쁜 고딕 양식의 건물들이 병풍처럼 빽빽하게 사면을 감싸고 있는데 광장 중앙에는 정의의 여신인 디케상 분수가 있다. 이곳에는 특색 있는 카페도 많고 아기자기한 기념품 가게도 많다. 그날은 축제분위기 속에서 연인들이 모두 'I LOVE YOU'를 새긴 굉장히 큰 사탕을 사서 들고 다녔고 맘껏 입맞춤을 하고 있었다. 장난기가 발동한 한 남자는 자신의 애인을 거꾸로 번쩍 들어 올리더니 분수에 내동댕이칠 것 같은 자세를 취했고 여자는 까르르 하고 행복한 웃음소리를 크게 자아냈는데 곁의 사람들도 이 광경을 보고 모두 얼굴에 행복한 웃음을 지었다. 이건 내가 그동안 프랑크푸르트에서 살아오며 봤던 가장 로맨틱한 광경이었다. 대낮부터 노천카페에는 맥주를 마시는 사람들도 많다. 그 사람들의 들뜬 기분이 우리에게 옮았을까. 우리는 잔뜩 설렌 채 그곳에서 커플링을 맞췄다.

행복한 시간은 늘 너무 짧다. 광장에서 나와 광장 뒤의 마인강변을 산책하며 프랑크푸르트에서 반나절의 밸런타인데이를 보내고 우리는 공항으로 향했다.

내년 여름에 나는 싱가포르에 함께 여행을 갔던 아줌마 4인조와 함께 파리여행을 떠나기로 했다. 그곳에 가면 십여 년 전에 남편과의 데이트에만 그쳤던 파리를 좀 더 깊이 돌아보려고 한다. 루브르박물관과 베르사유궁전도 돌아보고 코코샤넬의 매장이 있는 캉봉거리도 구경하고 싶다. 맛좋은 프랑스 와인을 시켜서 우아한 저녁 식사도 하면서 잠시나마 예술과 낭만에 빠져보고 싶고 니스에 가서 한여름의 바다에 풍덩 빠져 보고 싶다. 지금부터 궁금해진다. 십여 년이 지난 파리는 어떤 모습일까.

아시아의 산토리노
-샤먼에서

   이 여행은 예정에 없던 여행이다. 새해 해돋이 구경하러 여행을 떠나 겠다고 했던 어떤 모임의 여행이 각자 스케줄이 어긋나 취소되면서 나는 갑자기 이틀이란 시간이 남았고, 이 시간을 그냥 보내기엔 아까웠다. 겨울이라 좀 따뜻한 곳으로 가고 싶었고, 혼자 하는 여행이라 별로 힘들지도 않으면서 볼거리도 꽤 있는 그런 곳으로 떠나고 싶었다. 그래서 고민하던 중 샤먼을 택했다. 마침 거기엔 친한 친구가 살고 있어서 하루 정도는 가이드를 부탁해도 문제없을 것 같았다.

   상하이에서 샤먼까지는 비행기로 두 시간이 안 걸렸다. 이른 아침 비행기로 도착해서 마중 나온 친구의 차를 타고 샤먼대학을 찾아갔다. 옛날부터 샤먼대학은 중국에서 제일 아름다운 캠퍼스로 유명하다. 언젠가 한 번 꼭 가보고 싶어 하던 곳이었다.

친구의 말에 의하면 샤먼대학을 한때는 관광지로 개방을 했더니 관광객이 너무나 많아서 샤먼대학 학생들의 정상적인 생활에 피해를 줄 정도였다고 한다. 그래서 요즘은 외부 차량, 외부 사람들의 출입을 엄격히 단속한다고 했다. 그럼 어쩌지 하고 울상을 짓는 나에게 친구는 자기만 믿으라면서 여유만만하게 운전을 했다. 친구의 차는 캠퍼스 정문은 피해서 다른 문으로 들어갔다. 혹시라도 대문을 지키는 경비원 아저씨가 우리가 여행객이란 걸 눈치챌까 봐 카메라는 친구가 말한 대로 발아래에 잘 감췄다.

친구가 샤먼대학의 교수인 것처럼 모 학과 건물에 간다고 했더니 경비원아저씨는 쉽게 통행을 허락했다. 우리는 마치도 수업시간을 땡땡이치고 몰래 학교 밖으로 나온 학생들처럼 기뻐하며 자유로이 샤먼대 캠퍼스를 활보했다.

손으로 그린 샤먼대 지도를 한 장 샀다. 대학 내부를 제대로 구경하기 위해서도 지도란 가이드가 필요했지만 손으로 그린 거라 두고두고 소장하고 싶을 만큼 예뻤다.

샤먼대는 푸른 산과 푸른 바다를 곁에 끼고 있다. 정문은 유명한 푸퉈사普陀寺 관광지와 이어져 있고 다른 한쪽은 아름다운 해변가를 끼고 있다. 캠퍼스 내에도 정인곡情人谷 , 부용호芙蓉湖 등 관광지가 있는데 고즈넉하고 로맨틱하다.

　이런 자연적인 풍경을 두고라도 샤먼대는 특색 있는 건축물로 사람들의 시선을 확 끈다. 이곳의 옛 건축은 '양복을 입고 삿갓을 썼다'고 비유하는데 중국과 서양의 건축 양식이 결합되었다는 의미이다. 샤먼대의 건물은 과연 각양각색으로 아름다움을 발산했다. 빨간색의 고풍스러운 기숙사 건물이며 사회학 건물이며 현대식으로 지은 샤먼대에서 제일 높은 건물은 남방의 키 높고 무성한 열대나무와 어울려 고색창연한 분위기를 자아냈다. 가장 맘에 들었던 곳은 운동장이다. 운동장의 관람석 계단 뒤로는 빨간색의 건물이 배경이 되어 주었는데 사진을 찍으니 화보 같이 나왔다.

　우리는 샤먼대 안의 학생 식당으로 갔다.

　샤먼대 학생식당은 대형 쇼핑몰의 푸드 코너처럼 중국의 각 지역 음식이며 일본요리 한식 현지 음식이 망라되어 있어서 무엇을 먹어야 할지 결정하기 쉽지 않았다. 나는 친구가 추천해 주는 대로 그 지역의 음식을 먹었다. 물만두를 삶은 건데 탕에 기름고춧가루를 넣어서 매운 맛이 나게 한 음식도 먹고 소스를 듬뿍 넣은 면과 야채, 딤섬도 먹었다. 학생 식당이라 가격도 저렴하고 맛도 좋았다.

　식사를 마치고는 식당 옆의 부용터미널 내부를 구경했다. 거기에는 샤먼대 학생들이 그린 손그림이 가득 그려져 있었는데 낙서형식이면서 자유로운 사상을 한껏 체현한 그림이었다.

저녁엔 중산로를 돌고 구랑위鼓浪屿로 가는 배를 탔다. 이제부터는 나 혼자만의 여행이었다. 샤먼에서 구랑위는 배로 5분 거리다. 시원한 바닷바람에 머리카락이 자유롭게 흩날렸다. 뱃머리에 서서 야경을 구경하는 사이에 배는 구랑위에 도착했다.

예약한 호텔에 전화를 했더니 금세 차로 마중을 나왔다. 차는 아름다운 골목골목을 이리저리 에돌아 호텔에 도착했다. 짐을 풀고 나서 다시 산책을 나왔다.

구랑위의 밤은 고즈넉했다. 조금 전 나를 태우고 왔던 차의 방향을 기억으로 더듬으며 골목을 걸었다. 불빛 환한 가게며 민박들은 독특한 이름으로 나의 눈길을 끌었다.

중심 거리에 도착하니 먹자골목에 기념품 파는 가게들로 흥성거렸다. 나는 2층으로 된 자그마한 엽서가게 다락방에 올라가서 엽서를 고르고 친구들에게 엽서를 썼다.

이튿날은 해돋이를 보려고 일찍 일어나 일광암으로 출발했다. 전날 저녁에 미리 한번 노선을 알아 놓은 덕분에 길치인 나는 그나마 손쉽게 일광암을 찾아갈 수가 있었다. 암자를 지나 일광암 꼭대기까지 올라가니 해돋이를 보러 나온 사람들이 수십 명은 족히 되었다. 새벽이라 바람이 제법 쌀쌀했다. 동이 틀 무렵이 되었는데도 해는 도저히 얼굴을 보여줄 생각을 하지 않았다. 흐린 날씨였다.

결국엔 그렇게 기다리다 아쉬운 대로 내려왔다. 내려와서 반대 방향으로 가니 바닷가였다. 출렁이는 파도 소리를 들으며 방금 전에 올라 갔던 일광암을 바라보니 일광암은 높다라니 솟아서 위엄 있게 나를 내려다보고 있었다.

호텔에서 아침을 먹고 구랑위거리로 나왔다. 전날 밤 한산하고 고즈넉하던 풍경은 오간 데 없이 사라지고 사람들이 인산인해를 이루었다. 나도 어느새 그 속에 끼어 흥성거리는 분위기에 빠져들었다.

밤에 불빛 속에서 어렴풋이 윤곽을 보였던 건물들의 모습이 하나하나 제대로 눈에 들어왔다. 아기자기한 작은 가게들의 아름다움은 더 말할 것도 없고 각양각색의 풍격이 다른 건축물은 내가 서있는 곳이 외국이란 착각까지 들게 했다.

고딕식의 끝이 뾰족한 지붕, 로마식의 원기둥, 고대그리스의 도리아식, 이오니아식, 코린트식 건축양식 그리고 이슬람의 둥근 지붕, 벽난로, 베란다, 아치형 창문 등 건축은 고전주의와 낭만주의 색채를 한껏 발했다. 구랑위가 명실 공히 '만국건축박람회'라는 걸 느꼈다.

'음악가의 요람'으로 불리는 구랑위는 조금만 귀를 기울이면 곳곳에서 아름다운 피아노 소리나 바이올린 소리를 들을 수가 있었다. 파도가 철썩이는 해변가, 나무 위에서 지저귀는 새소리와 악기소리가 어울려 하모니를 이루고 있었다. 음악은 구랑위의 가장 아름다운 풍경이었다. 산중턱에 자리 잡은 피아노박물관을 잠깐 둘러보고 쑤쫭화원菽莊花園 앞의 바다를 마주하였다. 일광암을 배경으로 하고 있는데 원래는 개인 별장이었다고 했다. 그냥 늘 보아오던 정자가 있고 정원이 있는 강남의 원림쯤으로 생각하기엔 쑤쾅은 남다른 특색이 있었다. 쑤쾅은 바다 위에 있는 해상 화원인 데다가 교묘한 설계로 바다를 '감추었다가' 갑자기 눈앞에 확 트인 바다가 나타나도록 되어 있다. 또 하나의 특별한 점은 주위의 자연 풍경을 교묘하게 이용하여 높이감이 있고, 시야가 탁 트인 설계가 남달랐다는 점이다.

빨간색의 집들과 푸른색의 나무, 파란 바다가 있는 구랑위, 몇 걸음만 걸어 나가면 바다를 만날 수 있고 음악이 있는 이곳에서 나는 조용히 내면의 소리를 들었다. 무작정 혼자 나선 길이 이렇게 아름다울 줄은 이전엔 미처 몰랐다. 온전히 나를 위해 하늘이, 산이, 바다가 존재하고 있었다. 나는 성장하고 있었다.

여행지에서 엽서보내기

옛 추억을 품고 사는 감상적인 성격 탓이랄까. 나는 아직도 학창 시절 친한 벗들에게 받은 엽서를 고스란히 보관하고 있다. 상하이에서 생활하면서 열 번도 넘게 이사를 했는데 그럴 때마다 뭐 그런 것까지 갖고 있느냐는 지청구를 남편에게 늘 들었다. 하지만 나는 그런 푸념도 모른 척 넘기고 보배처럼 엽서들을 상자에 고이 싸서 다녔다. 그것들은 나의 보물 1호이다. 지금은 색이 누렇게 바래버린 엽서지만, 세월의 흔적만큼 우정도 돈독하게 쌓여서 오히려 그 시간에 감사하고 있다.

사회생활을 시작하면서 친구들에게 엽서를 보내는 일은 점점 드물어졌다. 친구들보다는 고객이 우선이었고 먹고 사는 문제가 급선무였다. 매일 하는 통화 중에 99%는 업무상 전화였고 젊음의 패기와 열기는 고스란히 회사에 헌신했다. 그것이 현명한 줄 알았고 그것이 내 능력을 검증하는 것이라 생각했기 때문이다. 또 그것이 타향에서, 대도시에서 발붙이고 살아갈 수 있도록 보증하는 유일한 방법이라고 여겼다.

엽서를 보내는 일은 까마득한 옛날이야기가 되어 버렸고, 엽서를 보낸다고 해도 기껏해야 명절 때 업체의 고객들에게 명절 인사로 보내는 것이 고작이었다. 그것도 회사 로고가 박혀있고 상투적인 축하 인사가 박혀있는 촌스러운 엽서였다. 다시 말해서 이런 엽서는 그냥 업무상의 인사일 뿐이었다. 과연 거기에 나의 진심 어린 축복은 몇 퍼센트나 섞여 있을지 나 자신마저도 확신할 수 없었다. 그러다가 차츰 메일이나 휴대폰 문자 메시지가 종이 엽서를 대신하게 되면서 종이 엽서는 내 생활에선 완전히 사라지게 되었다. 그믐날 저녁이면 시합이라도 하듯 친구들, 친척들, 업체의 고객들로부터 축하 메시지가 폭죽소리 만큼이나 요란하게 울렸지만 별로 열어볼 기분이 나지 않았다. 너무나도 뻔한 축하인사니까.

나는 그럴 때면 내 엽서 상자를 열어 보았다.

새해가 가까워지면 우체부가 우리 집에 들러 엽서를 전해 주는 걸 기다렸다.

엽서 뒷면에 빼곡한 친구들의 낯익은 필체, 진심 어린 축하와 안부 인사가 그리웠다. 그리워하면서도 나도 엽서를 보내지 않는데, 이런 추억이나 감상에 빠진다는 건 망상이 아닐 수 없다. 스마트폰이 대세인 요즘 그냥 문자가 아니라 설날 인사를 동영상으로 찍어 실시간으로 주고받을 수 있으니 엽서를 보낸다는 건 촌스러운 일이라고 여기는 사람들이 더 많을지도 모르겠다. 그럼에도 불구하고 언제부터인가 엽서에 대한 정취는 이루지 못한 첫사랑을 그리워하듯 가슴 한 구석에 아련히 자리 잡게 되었다.

스마트폰과 SNS가 생기면서부터 우리는 더욱 간편하게 시시각각으로 서로의 동향을 살펴볼 수 있게 되었다. SNS에는 매일 다양한 내용들이 올라오니까. 가까운 곳에 있는 친구들도 지구 반대편에 있는 친구들의 동향도 SNS를 통해 알 수 있는, 어떻게 보면 좋은 세월이다. 홍수처럼 터져 나오는 소식과 정보 사이에서도 내가 관심을 가지고 특별히 유심히 지켜보는 건 여행을 좋아하는 S양의 소식이었다.

'혼자 노는 달인'이라는 별명을 갖고 있는 그녀는 다재다능한 골드미스인데 기발한 아이디어들이 참 많다. SNS에 올라오는 사진이나 글을 통해 그녀의 다채로운 생활을 엿볼 수 있다. 그 중 가장 따라해 보고 싶었던 건, 바로 여행지에서 친구들에게 엽서 보내기였다.

그녀는 여행지에서 다른 친구들에게 엽서를 보내고 자신한테도 엽서를 보낸다고 했다. 그녀가 여행을 마치고 돌아와서 2주나 3주쯤 지나면 여행지에서 자신이 자신에게 쓴 엽서가 도착했다. 그 엽서를 받으면 그녀는 다시 여행지에서의 추억을 떠올리며 다음의 멋진 여행을 위해 더욱 열심히 일한다고 했다.

작년 가을, 그녀는 로마 여행을 하면서 로마의 그림엽서 다섯 장을 올려놓고 먼저 글 남기는 차례로 엽서를 보내준다는 게임도 했었다. 늘 그녀의 SNS를 살피던 나는 맨 먼저 글을 남겼고 한 달쯤 뒤 그녀가 로마에서 보내온 그림엽서를 받았다. 로마의 상징인 콜로세움이 인쇄된 엽서의 뒷면에 그녀가 손글씨로 적은 축복이 다정하게 들어있었다. 이런 손편지 엽서를 받아본 게 얼마만이던가! 종이의 질감을 손으로 느끼며 바로 이거다 싶었다. 내 가슴에서 뭔가가 쿵 하고 울리는 소리가 들렸다.

올해 설 휴가 때 나는 친구들과 같이 절강성 씨탕西塘에 놀러 갔다. 보슬비를 맞으며 씨탕의 옛 골목을 돌고 있으니 제법 운치가 있었다. 골목길 양 옆에는 특색 있는 가게들이 즐비했는데 마침 엽서를 파는 가게도 있었다. 수백 장도 넘는 씨탕의 풍경 엽서가 내 눈을 즐겁게 해 주었다. 그 가게에선 우표도 팔았고 엽서와 우표만 사면 굳이 우체국에 가지 않아도 대행 서비스를 해 주었다.

나는 엽서를 고르고 친구들의 이름을 하나하나 떠올리며 새해 인사 겸 안부의 글을 적어 내려가기 시작했다. 여행 와서 뭔 엽서를 보내느냐고 마뜩찮던 표정을 짓던 친구들도 뒤늦게야 엽서를 골랐고 각각 누구에게 보낼까 행복한 고민을 하기 시작했다. 나는 친구들 몇 명, 가까운 지인들, 사랑하는 딸아이와 남편 그리고 엄마에게 엽서를 썼다.

받는 이 각각의 취향에 어울리는 그림을 고르느라 꽤나 신경이 쓰였는데, 이게 그 사람을 더 깊이 알아 가는 과정이구나 싶었다. 늘 너무 바쁘게 보내는 친구 Y에겐 차 한 잔 즐기는 여유를 가지라고 차 주전자와 찻잔이 놓여 있는 엽서를 골랐고, 아직도 싱글인 친구 K에겐 청둥오리 한 쌍이 나란히 호수에서 거니는 엽서를 골랐다.

그렇게 사방이 엽서로 둘러싸인 그 가게에서 반 시간 넘게 시간을 보냈다. 다 쓴 엽서에 우표를 붙이고 엽서 쓰는 모습을 휴대폰으로 찍어서 SNS에 올렸더니 SNS를 보고 뒤늦게야 요청해 오는 친구도 있었다. 기다리는 마음이 무엇인지 아니까. 찻집에서 차를 마시다가 다시 엽서 가게로 달려갔던 해프닝도 있었지만 그 와중에도 행복했다. 누군가가 나의 엽서를 기대한다는 사실이, 나를 기다리는 사람들이 있다는 사실이 행복했다.

여행을 마치고 상해로 돌아온 지 일 주일쯤 지나자 이 친구 저 친구한테서 연락이 오기 시작했다. 어떤 친구들은 나에게 받은 엽서를 SNS에 올려서 공개적으로 자랑했고 어떤 친구들은 조용히 나한테 문자로 고맙다고 인사를 했다. 요즘 세월에 손글씨로 써서 우표 붙인 엽서를 받아보는 건 타임머신을 타고 학창 시절로 돌아간 듯한 기분을 느끼게 했을 것이다. 척박했던 삶에 엽서 하나가 사치스러운 행복이 된 것이다.

엄마에게 보낸 엽서에 나는 평소에 낯 뜨거워 못하던 고백도 적었다.

'가끔 성질부리는 이 딸이 미워도 이해해 주세요. 엄마가 있어서 나는 용감히 살아갈 수 있었다는 걸 항상 기억하고 있어요. 우리 함께 알콩달콩 행복하게 지내요. 사랑해요, 엄마.'

내일 모레면 마흔. 엄마가 되고서도 여태 엄마에게 사랑한다는 표현을 못했던 내가 처음으로 엄마에게 사랑한다는 말을 전했으니 두말할 것 없이 엄마는 그 엽서 한 장에 눈물을 폭삭 흘렸을 것이다.

친구들은 나의 이런 엽서 보내기에 굉장한 호응을 보였다. 보잘것없는 종이 엽서 하나가 그들의 평범하고 무료한 삶에 신선한 행복으로 작용한 것이 틀림없었다. 엽서를 받지 못한 친구들은 다음 여행엔 자기한테 꼭 보내라고 신신당부를 했다. 그들에게 "기다려, 다음 번 여행지는 더 멋진 곳이 될 테니까 그때 더 멋진 엽서를 보내줄게." 하고 나는 장담했다.

그리고 몇 개월 후, 나는 타이완으로 여행을 떠났다.

여행의 두 번째 날 국립박물관 참관을 마치고 기념품 매장에서 엽서를 쓰기 시작했다. 몇 개월 전에 이미 타이완에 여행 간다고 홍보를 해서 주소를 받아 놓았었다. 친구에게, 동료들에게, 동생에게, 엄마에게, 딸아이에게, 친구의 딸아이에게, 친구의 엄마에게. 내 곁에 이렇게 많은 사람들이 있었다. 그들에게 여행 소감도 간단히 적고 안부 인사도 하고, 친구의 딸아이에겐 열심히 공부해서 나중에 여행도 많이 다니라는 말을, 회사 동료에겐 내가 없는 동안 내 빈자리를 채워 주며 열심히 일하고 있는 것에 대한 고마움을 전했다. 어떤 모임에서 처음 알게 된 친구들에겐 알게 되어 반갑다고, 앞으로 좋은 인연 만들어 가자는 내용을 보냈다.

엽서 쓰는 건 SNS에 글 쓰는 것과는 또 달라서, SNS에서 글자수 제한 없이 마음대로 쓸 수 있던 사람에게도 엽서를 마주하고 펜을 들면 마음은 숙연해졌다. 한정된 지면에다 소중한 사람에게 글을 쓰는 그 공간, 그 순간은 오롯이 나와 그 사람 사이에만 흐르는 행복의 시간이다. 우표 한 장 붙은 이 엽서가 도착하는 날까지 받는 사람도 보낸 나도 기다림과 기대가 생기고 희망을 생각하게 될 것이다. 엽서 한 장에 행복해 할 그네들의 모습이 떠올라 엽서를 쓰는 내내 내 입가엔 시종 흐뭇한 미소가 걸려 있었다. 더구나 같이 동행하던 친구들까지 엽서 보내기에 함께하게 했으니, 이건 요즘 유행하는 말로 시너지 효과까지 내고 있는 셈이다.

오늘도 나는 엽서 한 장으로 그리움을 전한다. 백리 밖, 천리 밖에서 당신을 그리워한다고. 순수했던 학창 시절의 그 마음 그대로를 담아. 우리들의 청춘이 숨 쉬고 있고 우리들의 소박한 우정이 깃든 엽서로 공감대를 열어 꿈 많던 그 시절로 돌아가 본다. 그들이 삶에 지치고 외로울 때 가끔씩 꺼내보며 환한 미소를 지을 수 있도록. 그들의 편지가 나를 일으켜 세웠던 것처럼.

서른
아
홉,
다시 봄

생활을 읽다
달콤한 계략, 나의 취미 생활

위풍당당, 기타 치는 아줌마

    오전에 테니스를 끝내고 집에 와서 부랴부랴 샤워를 한 후 옷을 갈아입고 기타 레슨을 받으러 갔다. 기타 선생님은 늘 얼굴에 부드러운 미소를 머금은 수줍은 총각이다(글쎄, 결혼여부에 대해서는 물어본 적이 없지만 내가 볼 땐 분명 총각이다). 그리고 착하다. 그래서 나는 이번 주도 내내 글쓴다는 핑계로 기타는 케이스에 넣어 둔 채로 연습은커녕 꺼내지도 않고 있다가 그대로 둘러메고 학원으로 향했다. 선생님이 호되게 욕을 하지 않을 테니 숙제를 하지 않고도 뻔뻔스럽게 갔다. 이럴 때는 아줌마라서 참 좋다.

    "이번 주는 연습 좀 하셨나요?"

선생님이 물으면,

"ㅎㅎㅎ……."

난 애매한 웃음으로 답례를 한다.

"연습을 못했어요. 하지만 이번에는 꼭 연습 할 거예요."

나는 맹세라도 하듯이 흔들리지 않는 눈빛으로 대답한다. 정말이다. 나는 선생님에게 맹세한다기보다는 나 자신에게 약속하는 거다. 그런데 믿는 눈치가 아니다. 지난주도 내가 똑같이 대답을 해놓고는 연습도 못한 채 또 한 주일이 지나가고 만 거다. 나의 한 주일은 왜 이렇게 짧은지 모르겠다. 참.

"꼭 연습한다는 걸 어떻게 믿나요?"

여전히 실눈으로 웃으며 부드러운 미소를 띤 채 묻는 선생님의 말에,

"정말이에요. 스케줄을 확실히 짜서 연습할 거예요."

나는 매번 그랬듯 진심으로 다짐한다.

그러자 선생님은 지난주에 배웠던 걸 복습하잔다. 내 손가락이 저절로 알아서 음을 찾는다. 연습을 하니 안 하니 해도 두어 달 기타 메고 다녔더니 이제는 감이라는 것도 생기는 모양이다. 복습이 끝나고 새로운 걸 배우는 데도 나는 여전히 잘한다. 물론 나는 늘 착한 학생이니까. 수업을 받는 45분 동안은 정말로 열심히 한다.

"아니, 연습을 안 했다고 하시는데 이번엔 아주 잘하시네요. 웬일이죠?"

선생님이 묻는다.

"글쎄요, 아마 잠재의식에 이미 기타 악보가 들어가 있나 봐요."

나는 괜히 기분이 좋아진다.

매주 화요일 오후마다 펼쳐지는 풍경이다.

기타는 왕년의 문학청년 치고 한 번쯤 꿈꾸었던 로망이 아닌가 싶다. 기타를 배우고 싶다는 것은 하나의 로망이었다.

처음으로 기타가 내게 멋진 악기로 다가온 것은 중학교 2학년 때였다. 정치 수업을 담당하던 남자 선생님이 휴식 시간에 기타를 치며 유행 가요를 불렀다. 너무 멋져서 오래오래 멋진 추억으로 각인되었다. 평소엔 여자처럼 수줍음이 많고 말수 또한 적던 선생님이 기타를 치면서 노래하는 모습은 가수처럼 멋있었다. 애수 띤 노래는 기타 반주와 어우러져 사춘기 소녀의 마음을 마구 흔들어 놓았다. 기타를 치면 사람이 저렇게 멋지게 변하는구나 싶었다.

고등학교 시절 별로 맘에 안 드는 남자 동창생이 있었는데 노래 하나는 참 잘 불렀다. 신년맞이 행사 때 그 친구가 기타를 치면서 "바람 불어와 내 몸에 날려도 당신 때문에 외로운 내 마음, 모든 것이 다 지나가 버려도 내 마음은 당신 곁으로."하고 노래를 불렀는데 완전히 다른 사람처럼 느껴졌다. 전교의 여학생들이 열광을 했다. 그때 나도 언젠가는 기타를 치면서 노래하는 내 모습을 상상해보곤 했다.

세월은 흘러 고등학교를 졸업한 지도 이십 년이 지나갔다. 그 동안 딸아이를 데리고 피아노 레슨을 받으면서, 모든 엄마들이 그렇듯 나도 아이 따라 어깨 너머로 감상하는 데 만족했다. 그러다 나도 악기 하나쯤 배우고 싶다는 생각이 슬며시 들었다. 그런데 피아노는 너무 어려운 것 같았다. 뭐 간단한 악기 없을까 고민하던 중에 문득 떠오른 것이 이십 년 전 그 기타였다.

기타는 간단해서 배우기도 쉽고 또 들고 다니기에도 편리하다. 어떤 모임장소에서든 기타를 들고 노래를 부르면 멋질 것 같았다. 또 하나 중요한 이유는 딸아이의 피아노 연습을 시키려면 하늘에 별 따기보다 어려웠다. 어르고 달래서 겨우 삼사십 분씩 피아노 연습을 시키는 것보다 엄마인 내가 악기를 열심히 연습하는 모습을 보여주면 아이도 따라서 열심히 할 거라는 야무진 생각에서였다.

기타를 배우고 싶다고 소문을 냈더니 아는 동생이 같이 배우자고 했다. 쇠뿔도 단김에 빼랬다고 그 길로 학원에 가서 등록을 해 버리고 기타를 메고 집으로 왔다. 정작 기타를 들고 오니 걱정이 태산이었다. 내가 언제 시간이 있다고 이런 걸 배워, 미쳤어, 미쳤어. 처음 만지는 기타는 생각보다 어려웠다. 손가락의 인대가 벌어지지 않았다. 마흔이 다

된 아줌마가 기타를 배운답시고 가서 앉아 있으니 싹수가 없어 보이는 지 선생님은 한숨만 푹푹 쉬고 있었다. 오기가 생기기도 했지만 나도 기운이 빠졌다.

집에 와서 나름 연습한다고 기타줄을 뜯고 있었는데 말을 듣지 않는 손가락은 닭발처럼 뻣뻣했다. 얼마 연습을 하지도 않았는데 기타줄을 누른 왼손 손가락의 살이 아파서 못 견딜 지경이었다. 딸아이에게 본을 보여 주려고 시작한 건데, 오히려 보다 못한 딸아이가 와서 참견을 할 정도였다. 이래서야 엄마 체면이 영 말이 아니었다. 하지만 악보를 뜯어보며 어설픈 손놀림으로나마 열심히 쳤더니 내가 아는 유행 가요를 연주할 수 있었다. 물론 화음을 연주할 수는 없으나 곡조는 흘러나오니 제법 흥이 났다. 딸아이도 옆에 와 앉아서 곡조에 맞춰 고개를 끄덕거리며 흥얼댔다.

그렇게 화음을 배우며 내가 아는 유행곡을 한 곡씩 연습해봤다. 손가락의 인대도 차츰 늘어나고 내 손가락은 자연스럽게 음을 찾아서 움직여 준다. 곡조에 맞춰 가사까지 부르면 나 자신이 마치도 록 밴드의 구성원이라도 된 듯 도취된다. 하지만 아직도 서툴다.

서두르지 말자, 한 입에 한 술씩 떠서 꼭꼭 씹어 먹듯이. 어차피 내가 좋아서 하는 일이니 천천히 즐기며 배우자. 나를 다독였다. 기타가 내게 스트레스가 되는 순간 난 기타 배우는 게 싫어질 테니 천천히 하기로 마음먹었다. 언젠가는 기타를 들고 긴 머리를 휘날리며 "바람 불어와 내 몸에 날려도, 당신 때문에 외로운 내 마음, 모든 것이 다 지나가 버려도, 내 마음 당신 곁으로."하며 이런 멋진 노래 부를 그 날이 오기를 상상하면서 말이다.

말을 타고 바람을 가르다

　매주 목요일은 내가 유난히 기다리는 날인데, 나의 친구인 빠야와 유성을 만나는 날이기 때문이었다. 빠야는 몽고말이고 유성은 50%의 순수 혈통을 가진 귀족 말이었다. 빠야는 다섯 살로 사람의 나이로 치면 스무 살, 혈기 왕성한 청년이고 이름은 몽고식으로 지었다. 유성은 네 살로 아직 십대 소년 같은데 워낙 천성이 활발해서 잠시도 가만히 있지 않았다. 유성처럼 빠르다고 해서 이 이름을 지어 줬다고 했다. 빠야는 황갈색의 털을 가지고 있고 우아하고 젊잖다. 유성은 브라운에 가까운 털빛에 등줄기는 검은빛이 돌았다. 몸집은 빠야와 유성이 비슷하지만 당근을 먹여 보면 금세 둘의 성격 차이를 알 수 있었다. 빠야는 자기가 먹을 수 있는 만큼 뜯어서 다 먹은 후에 다시 내 손에 있는 당근을 찾지만, 유성은 한입에 기다란 당근을 다 넣어야 성에 차 했다.

승마를 배우려면 우선 말과 친구로 지내야 한다. 운전을 배우는 것과는 또 다르다. 차는 생명력이 없지만 말은 생명력 있는 동물이다. 요즘에야 승마가 귀족 스포츠로 부상하지만 옛날에 말은 전쟁터에 나가는 병사들의 가장 유력한 조력자였고 좋은 말은 훌륭한 인재처럼 아낌을 받아왔다. '천리마도 중요하지만 천리마를 알아봐 주는 백락이 더 중요하다.'는 말이 있듯이 좋은 말도 주인을 잘 만나야 한다.

그런 면에서 유성과 빠야는 좋은 주인을 만나서 승마장의 다른 말들보다 훨씬 우월한 생활 조건을 갖추고 있다. 목요일 아침, 내가 해야 할 첫 번째 일은 말에게 안장을 씌우고 당근을 먹이는 일이다. 말발굽을 청소해 주는 일은 아직 못 해봤다. 그 다음 말고삐를 잡고 마구간에서 승마장으로 데려간다.

말을 다스리는 데도 여러 가지 원리가 있다. 어떤 품종인지 어떤 혈통인지 몇 살인지에 따라서 다스리는 방법이 다르다. 유성은 이제 갓 네 살이므로 훈련을 받기엔 어린 나이다. 나는 빠야로 말 타기를 배웠다. 첨엔 내 말을 안 듣고 고집을 피우던 빠야도 한두 번 낯이 익자 고분고분 나를 따라 주었다.

아무리 생각해도 나는 자기 연민에 잘 도취되는 사람이다.

좋게 말하면 낙관적이고 나쁘게 말하면 심한 공주병 기질인데, 전생에는 유럽 특히 영국의 귀족이 아니었나 싶다는 생각도 가끔 했다. 프랑스나 영국 등의 유럽 여자들이 입는, 땅에 끌리는 예복이 그렇게 멋있어 보일 수가 없었다. 물론 그들의 몸을 꽉 끼게 하는 이런 거추장스러운 옷을 간편하게 만들어 패션계에 파격적인 변화를 가져온 가브리엘 여사도 몹시 존중하지만, 무도회 때 한 번쯤은 이런 예복에 특이한 모자를 쓰고 싶은 마음은 여자들이라면 한 번쯤 꿈꾸지 않을까.

내가 말하려는 주제는 물론 예복이 아니다. 그들의 취미 생활 중 하나인 승마다. 승마복에 승마부츠를 신고 모자를 쓰고 말을 타는 여자들의 모습은 정말 멋지니까. 특히 내가 좋아하는 가브리엘 여사도 승마를 아주 즐겼다지 않은가! 멋지다는 말은 이쯤 해 두고라도 승마는 여자들에겐 아주 좋은 운동이니까. 엉덩이와 가슴에 볼륨이 생기고 허리와 등이 교정되니 몸매 가꾸기에 더없이 적합한 운동이다. 다만 승마하면 제일 먼저 떠오르는 게, 귀족 운동이라서 너무 비싸다는 편견이다. 그 때문에 아예 배울 엄두조차 못 낸다는 것이 보통 하는 말이었다. 그러다가 우연한 기회에 나는 말을 두 마리 사서 기르는 친구를 알게 되었고 그 친구의 모임에 참석하게 되었다. 그리하여 오매불망 꿈꾸던 말 타기의 소원을 이루게 되었다.

말을 타는 날은 아침 일찍 일어나서 승마장으로 간다. 승마장은 상하이 근교에 있다. 승마장은 탁 트여서 그런지 상하이 시내보다 훨씬 시원하다.

헬멧을 쓰고 다리 보호대도 착용하고 장갑도 끼고, 만반의 준비를 갖추고 나서 말 잔등에 올랐다. 말 잔등은 생각보다 높았다. 처음엔 말고삐를 잡을 엄두도 못 내고 두 손으로 말 안장의 고리를 힘껏 꽉 틀어쥔다. 하지만 손에 힘을 주는 게 아니다. 다리에 힘을 줘야 한다. 두 번째로 말을 탈 땐 팔에서 완전히 힘을 빼고 뒷짐을 지고 다리에만 힘을 주는 트레이닝을 받았다. 그리고 나서 다시 말을 타게 되자 손은 자연스럽게 말고삐를 잡을 수 있었고 손에 힘을 주지 않게 되었다. 하지만 말과 호흡을 맞추는 건 쉽지 않았다. 그러다 보니 계속 엉덩방아만 찧었다.

말은 감정이 있는 동물이라서 친구처럼 대해야 한다. 말을 탈 때도 말과 호흡을 같이 해야 말도 덜 힘들고 사람도 덜 힘들다. 한 마디로 말과 사람이 일심동체가 되어야 한다.

끝없이 평정을 유지해야 한다는 점에서 말 타기는 사실 자기 수련이다. 수선修禪은 정적인 것이고 말 타기는 동적인 것이어서 서로 전혀 상관이 없는 것 같지만 추구하는 것은 모두 '스스로 고상함의 경지에 도달'하는 행위이다. 말 타기도 마찬가지다. 사람이 말 위에서 잡념을 없애고 오로지 말에만 올인 해야지 말을 타면서 다른 것을 생각하게 되면 안 된다. 이렇게 하다 보면 사람은 말과 소통하는 방법을 배우게 된다. 절대로 말을 교통수단이나 스포츠 도구로 생각하면 안 된다.

　꿈꾸다 보면 이루어진다는 말은, 사람들은 뜬구름 잡는 소리라고 하지만 나는 내 삶으로 설명해 낼 수 있다. 온전히 나의 의지로 살아온 삶으로 지금 여기에 서 있으니까. 그러니까 나는 몸을 꼿꼿이 세워 당당하고 화려하게 살 수 있는 것이다. 숱한 전쟁을 겪고 돌아온 개선 장군의 모습이 꼭 우람한 남성 같아야 하는 법은 없지 않은가. 말 잔등에 앉은 나는 부드럽고 우아한 예복이 어울리는, 아름다운 여장부다.

　나는 그 힘으로 내 꿈을 꾸고, 나의 사람들을 사랑하는 것이다.

　나는 가끔 고민이 생기면 과거의 나와 현재의 나를 나란히 놓아 보곤 했다. 낡은 운동화를 신고 달음질치던 어린 나도, 말을 타고 들판을 달려가는 지금의 나도 모두 나니까. 어쩌면 달리는 것으로 나는 본래의 모습을 되찾았다. 언제든 나는 멈춘 적이 없었으니까. 열심히 달려오면서 나는 소중한 가족을 얻었고, 평생 내 길을 함께 갈 수 있는 사람들이 생겼다. 이젠 혼자 달리지 않아 외롭지 않고, 그리고 여전히 나는 멋지게 내 길을 흔들림 없이 가고 있다. 이 길 끝에 무엇이 있느냐고? 무엇을 바라보며 그렇게 열심히 달리기만 하느냐고? 그 앞에 무엇이 있는지 알고 있다면 그처럼 최선을 다할 수 있었을까.

흠뻑 땀에 젖어 있는 시간이 얼마나 소중한 시간인지는, 해 본 사람만이 알 수 있는 특별한 경험이다. 이렇게 30대를 보내고 40대를 맞이할 내가, 나는 새삼 자랑스럽고 뿌듯한 것이다. 내가 탄 세월이라는 말이 달리는데, 나는 이제 초조하지 않다. 나는 내가 달려가 다다를 끝이 아니라 내 옆의 남편과 아이와 멀고 가까운 가족, 친구, 동료와 그들이 숨을 맞대고 사는 모든 사람들을 바라보며 함께 살아가고 있는 것이다. 멈추어야 비로소 보이는 것처럼 승마를 배우면서 평정을 찾아갈 때 나는 나를 다시 돌아볼 수 있게 된다.

깨끗이 씻긴 아이에게 옷을 갈아입히는 것. 내가 만든 음식을 맛있게 먹는 남편이 나와 눈을 맞추고 웃음 짓는 것. 창가에 서서 나를 통과하는 바람이 나의 집 곳곳으로 배어드는 것. 오후의 노오란 햇볕이 집 안에 비스듬하게 밀려들어오는 것.

말들이 콧김을 내뿜으며 힘들어 하면 슬그머니 미안해지기도 했지만 나는 말 위에서 바람을 즐기느라 그런 생각도 곧 잊어버리고, 곧 내 앞에 펼쳐진 푸른 들판을, 내 한 눈으로도 다 담기 벅찬 하늘을 바라본다. 허벅지 안쪽이 심하게 아파오기 시작하면 나는 말잔등에서 내려 휴식을 취한다. 내 사랑하는 빠야의 안장을 벗겨 주고 당근을 먹인다. 굴레 벗은 빠야는 개구쟁이 어린애처럼 땅바닥에서 뒹굴며 기쁜 심정을 나타낸다. 빠야가 땀을 다 식히면 마구간으로 데리고 가서 샤워를 시켜 준다. 하얀 물줄기를 받으며 말끔하게 씻겨 지는 빠야의 몸에선 세척제의 상쾌한 향이 포근하게 퍼진다. 이 일이 끝나면 나는 빠야와 유성에게 작별 인사를 하고 다음 만남을 기대하며 아쉽게 떠난다.

이렇게 재미있는 삶을 나는 왜 이제껏 몰랐던가.

여유로운 삶이란 내 삶과 아주 멀다고 생각했었는데, 내 발로는 닿지도 않을 거라고 생각했는데, 사실 한 걸음만 나오면 화분의 꽃도 얼마나 아름다운지 모른다. 빠야와 유성의 수고로움이 없었다면 나는 말 타는 것이 이렇게 재미있는 줄도 몰랐을 것이다. 그리고 보면 삶은 무엇이건 해 봐야 그 맛을 알게 되는 것인가 보다. 가슴이 뻥 뚫리게 내달리는 그 상쾌함을 어찌 말만 듣고 알 수 있겠는가.

지금 이 순간, 나는 강처럼 유려하고 바다처럼 광활한 존재가 된다.

다시, 호흡을 가다듬다-테니스

    나는 배드민턴은 쳐 본 적이 있지만 테니스는 쳐 본 적이 없었다. 테니스 라켓을 들어본 적도 없었다. 하지만 실내에서 하는 운동인 배드민턴보다는 실외에서 하는 테니스를 하고 싶었다. 물론 여기엔 중국 테니스계에 새로운 한 획을 그은 테니스 선수 리나의 이미지도 한몫했다.

    그녀는 개성 있는 선수다. 그녀에게 열광하는 수많은 팬들은 테니스란 스포츠 자체의 매력 때문인 것도 있지만 누가 뭐래도 개의치 않고 자신만의 선명한 색깔을 가지고 있는 리나 선수의 개인적인 매력 때문일 것이다. 많은 중국 사람들에게 테니스는 리나이고 리나는 곧 테니스의 모든 것이다. 사람들은 리나의 모든 행보를 주목하고 있다.

    테니스 라켓은 배드민턴 라켓보다 훨씬 무겁다. 나는 완전 초보였으므로 테니스 라켓 잡는 방법부터 하나하나 익혀야 했다. 처음 코치가 던져 주는 공을 맞힐 수도 없었고 라켓에 맞힌다고 해도 푹 하는 소리가 나며 공이 제대로 나가지 않았다. 공부도 그렇지만 운동에서는 특히 기본기 다지기가 중요하다. 자세가 정확하지 않으면 공이 제대로 날아가지 않는다.

매번 공을 던져주고 나서 코치는 꼭 나를 불러서 고쳐야 할 점을 지적해 주었다. 나는 습관적으로 팔목을 아래로 축 내리 드리우거나 동작을 완벽하게 끝내지 않고 절반쯤에서 멈추기 때문이었다. 라켓을 휘날리는 동작이 완벽해야 공을 제대로 친 거라는 건 아는데 나는 왠지모르게 자꾸 중도에서 동작이 이미 끝나버렸다. 다른 멤버들은 다 잘 치는데 나만 못하고 있는 것 같아서 조바심이 들기도 했지만, 마음이 급할수록 동작은 제멋대로였다.

운동을 해 보면 알 수 있지만 연습을 하는 것과 안 하는 것에서 실력 차이가 확실히 난다. 얼마나 노력을 했는지를 정직하게 그대로 보여주는 것이 바로 스포츠다. 나처럼 운동 세포가 거의 제로인 사람은 다른 사람보다 곱절의 노력을 하는 것 외에는 방법이 없다.

모든 일에는 노력이 필요한 법이지만, 노력한 만큼 결과를 얻기 어려운 일들은 세상에 수도 없이 많다. 정직하게 걸어 꼭 그만큼 앞으로 나아간다는 보장이 없는 세상이니까. 뒷걸음치지 않으면 다행이다.

당신은 당신의 첫 걸음걸이, 신중하게 내디딘 정직한 한 걸음을 기억하는가. 당연히 기억할 수 없다. 우리의 기억이 남아 있는 지점은 이미 우리가 달릴 수 있었던 나이에서부터 시작하니까. 열심히 달려온 것 같지만 늘 제자리에 서 있는 기분이 들어서 우울하다면, 그럴 땐 나의 맨 첫 걸음을 상상해 보는 것이다.

테니스 라켓을 처음 잡고 동작을 익힐 때 다시 발동작을 배우는 과정이 그렇다. 낯선 동작을 몸에 익히려면 부단한 노력이 필요하지만 노력하다 보면, 정말 정직하게 실력은 좋아진다. 그 변화가 정확하게 겉으로 드러나지 않는다고 하더라도, 시간이 지나면 정말로 잘하게 되는 것이다. 그러니까 그 곳에서 얻는 성취는 당연히 순수할 수밖에 없다. 순수한 성취는 삶을 정화한다. 우리의 믿음을, 잘되지 않을 거라는 세상에 대한 불신을 상쇄시킨다. 내가 운동을 좋아하는 이유는 내 삶을 현재에 있게 하기 때문이다. 과거의 불쾌한 기억, 미래에 대한 고민을 할 필요가 없는 것이다. 라켓을 잡고 몸을 움직이는 동안, 나는 현재에 충실한 상태다. 비로소 순수한 내 자신으로 돌아오는 것이다.

다른 사람과의 시합도 이겨야겠다는 욕심에서 시작하는 것이 아니라 정말 재미있어서 즐기는 것이기 때문에 한 점 한 점 얻는 과정 자체가 즐겁다.

나와 한 팀인 알렉스는 자발적으로 내 코치가 되어 열심히 날 가르쳐 주었다. 동작을 수십 번이고 시범을 해 보이며 인내심 있게 가르쳐 주었다. 덕분에 난 늦게 참석했지만 그래도 다른 사람들의 진도를 따라갈 수가 있었다.

　제1기 레슨이 끝나고 마지막 날은 조를 나눠서 남녀 복식 경기를 했는데 나와 알렉스는 2등을 했다. 경기 후에 사진을 올렸더니 내게 이런 모습도 있는 줄을 몰랐다고 다들 놀라는 눈치였다.

　그날 경기에서 알렉스는 사실 1등을 바라고 시작했다. 알렉스의 서브는 멤버 중에서는 타의 추종을 허락하지 않을 만큼 공격적이었기 때문이다. 경기가 시작되기 전 알렉스는 나보고 그냥 자기만 믿으면 1등은 문제없다며 자신만만해 했다. 하지만 경기가 시작되자 알렉스의 서브는 하나하나 실수가 났다. 아웃이 아니면 네트에 걸렸다.

　대신에 나는 이겨야 한다는 욕심보다는 이런 경기를 자주 해 보면서 실전 경험을 쌓자는 마음가짐으로 임했기 때문에 별 부담 없이 서브를 넘겼고 상대가 받아치는 공도 연습 삼아 다 받아쳤다. 이렇게 첫 팀과의 경기는 우리가 손쉽게 이겼다. 결승전에 올라서 쪼우, 이 선생 팀과 경기를 할 땐 체력도 못 따라가고 그 쪽 팀이 워낙 실력이 균등하고 경력이 오래된 멤버들이라 우리는 간발의 차이로 2등을 했다. 2등으로 끝난 경기에 물론 알렉스는 아쉬움이 없진 않았을 테지만 내 덕분이었다고 진심으로 좋아했다. 곁에서 구경하던 다른 멤버들도 엄지손가락을 치켜들었다.

　테니스 코트에서의 시간은 내 인생에서 아주 짧은 시간에 불과하더라도 역시 내가 살아가는 즐거운 인생의 한 부분이다. 나는 코트 위에서도 아름다운 나 자신이 된다.

　2개월 정도 일주일에 한 번씩 꼬박꼬박 테니스를 다녔더니 팔뚝에 근육이 생겼다. 근육 하나 없이 축 처졌던 팔뚝 살이 단단해진 걸 보며 나는 더욱 테니스에 자신감이 생겼고 덕분에 올 여름에는 민소매 윗옷을 원 없이 입으며 건강미를 뽐낼 수 있었다.

질풍노도 아줌마, 요리와 놀다

　어릴 때 우리 집은 그 시대의 시골이 모두 그러했듯, 삼 대가 한 집에서 사는 대가족이었다. 할아버지, 할머니, 삼촌, 고모에 엄마, 아버지, 우리 자매 셋까지. 내 기억 속에 우리 식구들끼리 오붓하게 식탁에 마주 앉아서 식사를 한 적은 열 손가락 안에 들 만큼 적었다. 늘 친척들이나 이웃들이 와서 식사를 같이 했기 때문에 다른 밥상에서 먹어야 했다. 그래도 나는 그런 북적거리는 분위기가 좋았다. 엄마는 맏며느리답게 손이 커서 뭐든지 많이 했으므로 음식이 부족할 때가 없었다. 그때야 요리라는 게 뭔지도 몰랐고 그냥 엄마가 한 반찬이 맛있었다. 엄마의 손맛에 나는 하루하루 길들여졌다.

　나는 다른 반찬을 만드는 데는 영 숙맥이었다. 하지만 밀가루 음식을 좋아하다 보니 전이나 만두 등 이런 음식은 잘 만들었다. 사실 내게 요리란 외지에 나와 외로운 한 끼를 위로하기 위한 것이었다. 그땐 세상에 대해서든, 나 자신에 대해서는 아무 것도 몰랐을 때니 나를 위로하는 법인들 알 리 없었다. 한 없이 힘 빠지고 서글퍼질 때 나는 요리를 했다. 나는 최고의 손님을 대접하기라도 하는 듯 요리하고, 세상에서 가장 귀한 사람이 된 듯 맛있게 먹었다.

그게 내가 부릴 수 있는 최고의 호사였고, 사치였다.

처음 요리를 시작했을 때, 상하이의 재래시장에 나가 보니 종류가 어찌나 많은지 눈이 휘둥그레졌던 기억이 난다. 생전 듣지도 보지도 못했던 야채가 즐비해서 뭘 사야 할지 고민하다가 결국은 고향에서 가장 흔하게 먹던 오이나 감자, 가지, 배추, 시금치를 사 들고 오는 것이 고작이었다. 겁이 많았고, 시도하는 것이 익숙하지 않았다. 그렇게 가장 기본적인 음식부터 시작해서 차츰 상하이란 대도시의 갖가지 음식점에 출입하기까지 꽤나 오랜 세월이 걸렸다. 나는 요리책을 사들이고 요리하는 재미를 붙이기 시작했다.

요리는 지역, 가풍, 만드는 사람, 먹는 상황에 따라 달라진다. 그래서 내 요리엔 내 역사가 오롯이 담겨 있다. 내 요리는 최고들이 모여 이루어진 상하이처럼 여러 곳의 풍미가 한 데 어우러진 요리다. 한국 음식으로는 배추김치, 김밥, 떡볶이, 각종 전, 제육볶음을 즐겨 만들고, 중국 음식은 뭐든지 한 데 넣고 푹 끓이는 찌개류며 달달한 상하이 갈비찜이며 영양가 만점인 탕 같은 담백한 광동식 음식을 주로 만든다.

나의 뿌리, 내가 살아온 역사, 내가 사랑하는 사람의 식성과 지금 내가 살고 있는 삶이 나의 요리에 버무려진다.

사실 내가 이렇게 음식을 배우는 데에는 어린 시절 모두가 함께 먹었던 와자지껄하고 따뜻한 분위기 때문이다. 다 함께 먹어서 더 맛있었던 음식을 잊을 수가 없어서. 그래서 언제부턴가 내겐 또 하나의 소박한 꿈이 생겼다. 그것은 널찍한 집에서 주방과 식탁이 탁 트인 공간에서 마음에 맞는 친구들을 초대하여 맛있는 음식으로 파티를 벌이는 것이다. 그리고 음식을 사랑하는 만큼 듬뿍 예쁜 접시에 담아서 대접하는 것이다. 사랑하는 만큼. 그 만큼이 어느 만큼이냐고 물으면 말로는 다 표현할 수 없지만, 음식으로는 그래도 훨씬 많은 마음을 전할 수 있지 않을까.

특히 내가 사랑하는 아이에게 좋은 음식을 먹이고 싶은 마음은 여느 엄마 못지않다. 나는 나의 딸에게 내가 살아온 세상보다 더 넓은 세상의 맛을 보여 주고 싶고, 그 넓은 세상에서도 자신감 있게 살아갈 힘을 주고 싶다. 어릴 때 엄마가 해준 음식이 내겐 고향을 떠올리게 했던 것처럼. 어디에서 어떤 일을 하더라도 그 기억을 떠올릴 수 있는 매개가 나의 음식이, 아니 나의 가르침이 되었으면 하는 것이다.

나도 맛깔스런 식탁을 준비할 수 있었지만, 딸아이가 어릴 때는 음식을 할 여유가 없었다. 내 마음도 모르고 딸아이가 아빠가 해 준 음식만 찾을 때면 배신감 같은 걸 느낄 수밖에 없었다. 임신했을 때 입맛이 없으면 어렸을 적 엄마가 해 주셨던 엄마표 반찬이 유난히도 당겼다. 그런 날은 무작정 남편을 끌고 동생네랑 같이 살고 있는 엄마에게 가서 엄마가 해 주신 반찬을 먹고 와야 직성이 풀렸다. 그런데 내 딸은 기억에 남는 엄마표 음식이 하나도 없다니 얼마나 비참한가? 나는 바로 딸아이의 입맛 바꾸기 식단을 개발하기에 나섰다. 딸아이가 제일 좋아하는 두부 요리부터 오믈렛, 스파게티, 고구마 케이크, 각종 전을 요리해 주었고, 딸아이가 조금 커서 매운 것을 먹게 되면서부터는 된장찌개, 김치찌개 등 우리 민족의 전통 음식에 맛을 들이게 했다. 지금은 뭐 먹고 싶으냐고 하면 딸아이의 입에서는 엄마표 음식 1호, 2호, 3호가 줄줄이 나온다.

딸아이는 야채보다는 고기를, 고기보다는 생선을 좋아하는 편인데 야채를 많이 먹기 위해서 샐러드나 야채로 만든 쌈, 전, 수프를 많이 만들어 준다. 어릴 때부터 자연식, 건강식의 중요성을 많이 강조했더니 패스트푸드 음식점엔 가고 싶다고도 하지 않고 치킨을 배달시켜 달라는 응석도 안 부렸다. 비 오는 날이면 부추전이나 김치전을 해 달라고 하고 어떤 날은 고구마 케이크를 만들어 달라고 했다. 그리고 감기에 걸렸을 때는 광동식 갈비탕을 찾는데, 갈비탕 마시면 코가 탁 트일 것 같다고, 내게 말하는 것이다.

지난 주말에는 딸아이와 조카가 김초밥이 너무 먹고 싶다고 해서 슈퍼에 갔더니, 회는 있는데 초밥은 없었다. 회를 사서 집에서 직접 만들어 봐야겠다고 생각했다. 전에 해본 적은 없지만 뭐든지 겁 없이 시작하는 게 나의 장점이니, 또 한 번 새로운 시도를 해 보는 거다.

다짐한 대로 밥은 안쳐 놓았으나 오른손 손목뼈를 다쳐서 깁스를 한 상태라 왼손만으로 주먹밥을 만들 재주는 없었다. 그런데 아이들이 하겠다고 나섰다. 밥에 식초와 설탕을 적당히 넣어서 비비는 것으로부터 김밥을 말고 주먹밥을 만드는 걸 나는 옆에서 지휘만 했고 아이 둘이서 다 만들었다. 알초밥도 만들고 연어, 참치, 새우를 얹은 김초밥을 큰 접시에 네 접시나 만들었다. 모양새도 제법 그럴듯해서 일식점의 초밥이랑 별반 차이가 없었다. 직접 만든 것이라 그런지 더 맛있다며 딸아이와 조카는 하나도 남김없이 다 먹어 치웠다. 아이들은 앞으로 매주 토요일 저녁마다 김초밥을 만들어 먹자고, 자신들이 충분히 할 수 있다고 장담했다.

엄마와 처음 함께 만든 김초밥은 딸아이에게 또 하나의 잊지 못할 추억으로 남을 것이고 또 아이는 엄마의 손맛도 영원히 기억할 것이다. 그래서 나중에 딸애가 시집가서 임신을 했을 때 엄마가 해 준 김초밥이 먹고 싶다며 달려온다면 나는 더없이 행복할 것 같다.

내가 하는 말을, 행동을 유심히 바라보고 있는 아이가 내게 얼마나 큰 영향을 받고 있을까. 나는 또 우리 엄마의 말과 행동을 얼마나 유심히 바라보고 배웠을까. 또 엄마는 외할머니를, 외할머니는 또 그 엄마를……. 내가 늘 품었던 소망은 딸 또는 손녀에게 나는 정말 용감하게 잘 살아온 사람이라는 말을 듣는 것이다.

'당신은 정말 멋있게 잘 살아 왔어요. 당신을 닮아서 나는 정말 기쁩니다.'라고.

나는 오늘도 매일 매끼 나의 역사를 만들어 나가는 주부이고 엄마다. 아줌마다. 아줌마는 음식으로 가족의 과거와 현재와 미래의 역사를 만드는 사람이다. 나의 음식에 나의 과거가 있고, 아이를 위해 더 좋은 요리를 고민하는 현재가 있으며, 그 요리를 기억해 줄 아이의 미래를 만든다. 매일매일 내 가족이 살아갈 힘과 에너지를 만드는 일이 어찌 중요한 일이 아니겠는가.

나는 요리로, 세상을 살아갈 또 하나의 무기를 가진 셈이다.

요리를 할 줄 안다는 건 그런 것이다. 내 몫의 삶을 꾸려간다는 것.

내 사람들을 지지해 줄 수 있다는 것. 불 앞에 서서도 용감해지고 칼을 수족처럼 다룰 수 있으며 물을 겁낼 필요가 없는 마술. 마음을 가득 담아 전할 수 있고, 돈이 없어도 세상 무엇보다 값질 수 있는 마술. 마술 같은 요리라고 그다지 어려운 것이 아니다. 끼니마다 우리가 식사를 할 수 있고 함께할 수 있는 일상 또한 마술이 아닐까.

내 일상은 늘 이렇게 내게 깨달음을 준다.

어쩌면 그것은 내가 미처 알지 못했었기 때문에 더욱 소중한 일일지도 모른다. 아줌마가 되어서 나는 더욱 철이 들고 세상을 이해하게 되는 것 같다. 좋은 일이다. 분명, 앞으로 살아가다 보면 더 좋은 일이 많겠지. 나는 이렇게 매일 가슴 벅찬 삶을 살아가고 있다.

메이크업에 흑심을 품다

　어릴 적엔 메이크업이란 것은 들어 보지도 못했고 멋 내는 것은 죄악처럼 느꼈다. 중학교 때 막 자른 단발이 어색해서 거울을 들여다보고 있다가 아버지에게 호되게 혼이 난 뒤로, 나는 거울을 안 보는 여자로 성장했다. 제일 많이 입었던 옷은 중산복이었으며, 고등학교 졸업할 때까지 크림이란 것도 모르고 살았다. 북방의 매서운 칼바람에 손이 트면 조개약을 발랐을 뿐, 얼굴은 감자 껍질처럼 투실투실했다.

　그러니 대학교에 가서도 나는 여전히 화장을 할 줄 몰랐다. 립스틱 하나 바르는 게 전부였다. 그것도 사시사철 진핑크색 하나만을 고수했다. 대학교 때 기숙사에서 옆 침대의 친구가 눈썹을 뽑아 주려고 하는 바람에 내가 기겁을 하고 달아났던 적도 있었다. 이 일은 재미있는 추억거리로 남아 있다. 그때 나는 나중에 돈 벌면 옷 컬러에 맞는 립스틱을 여러 개 사는 게 꿈이었을 정도로 화장은 내게 최고의 사치였고 로망이었다.

그러다 사회에 진출을 하면서 메이크업을 하게 되었고 한국 사람들의 영향을 받아서 차차 그것의 중요성을 알게 되었다. 미용에 관한 잡지도 사 보고 화장품 매대를 돌며 발라보다 보니, 점점 솜씨가 늘어 한번은 결혼하는 친구의 결혼 메이크업까지 해줬다. 관심이 늘고 매일 하다 보면 잘할 수밖에 없다. 나이가 들수록 메이크업 솜씨는 늘어만 가니 옛날 모습보다도 요즘이 더 마음에 든다.

메이크업은 자신을 알아 가는, 이해하는 방법이다. 내 얼굴빛은 환한가 어두운가. 어떻게 하면 훨씬 자연스러운가. 거울 앞에서 나는 어떤 표정을 짓는가. 무표정한가. 웃는가. 우는가. 메이크업은 어쩌면 그림 그리기다. 자기 얼굴이라는 화폭에 그리는 그림이다. 유성 물감을 거듭 칠하는 서양의 유화油畵와 여백을 살려 색의 농담濃淡만으로 표현하는 동양의 화폭이 다르지만 모두 아름답기는 마찬가지다. 그처럼 사람에 따라, 상황에 따라 각각 메이크업 방법도 달라진다.

이십대에 나는 한동안 독일에서 지낸 적이 있었는데 반년 후 상하이에 돌아와서 보니 내 화장은 서양 사람들처럼 짙어져 있었다. 각이 진 짙은 눈썹에 진한 마스카라, 거기에 진한 칼라의 립스틱. 동생은 귀신 같다는 말로 내 메이크업에 대해 평가를 내렸지만 독일에 있다 보니 얼굴 윤곽이 선명하고 입체감이 나는 그들의 화장법을 나도 모르는 사이에 따라가게 되었고 그것이 지극히 자연스럽게 느껴졌던 것이다.

어느 것이 더 좋고 잘하는 것이라는 답이 딱히 정해져 있지 않다. 그저 자신이 이해한 만큼, 이해한 대로 표현하는 것이 정답이다. 내가 나를 더 잘 이해할수록 메이크업은 더 자연스러워진다. 이해한 만큼 나는 빛나고 아름다워지는 것이다.

메이크업은 자신의 피부처럼 완벽하게 어울려야 편하고 자연스럽게 연출이 된다. 나는 금방 화장한 얼굴은 좋아하지 않는다. 섬세하고 정교할진 몰라도 내 피부가 화장품과 호흡을 맞추는 과정이 필요하다. 한두 시간 후 화장이 내 피부에 완벽하게 흡수가 되어야 자연스럽게 들어맞아 편한 모습이 나온다.

가끔은 포인트를 주는 화장법도 필요하다. 나는 눈 화장에 포인트를 준 날이면 립스틱은 생략하기도 하고 편하게 친구와 만나는 날이면 그냥 립스틱만 바르고 나가는 경우도 있다. 아무리 메이크업이 중요하다고 하지만 주말에 동네슈퍼에 장보러 갈 때까지 화장을 하고 나갈 것을 요구한다면 이 세상은 너무 빡빡하지 않은가!

매년 봄 목련이 송이송이 탐스럽게 피어나는 것처럼 나는 매일 나를 충실히 꽃피운다.

도심에서, 삭막한 공기만 마시고 있다고 사람이 자연이 아닌 건 아니다. 여자들은 메이크업을 함으로써 자신의 내부에 숨었던 진짜 자기를 알아 간다. 백합은 백합대로, 장미는 장미대로 가장 나다울 때 그 자신은 가장 자연스러운 것이 아닐까. 제가 타고난 대로, 하고 싶을 때 노래하는 새처럼.

나는 오늘도 여기저기에 피어나는, 또는 활짝 피어난 꽃들을 본다. 그 꽃들은 내 친구고 동료고 이웃이다. 나 자신도 꽃이 되어서 꽃들을 바라보며 인사한다. 어설프게라도 막 피어난 어린 꽃은 어린 대로, 맨 바깥쪽 꽃잎이 약간 뒤로 말릴 정도로 완숙한 꽃은 완숙한 대로, 내 앞에서 즐겁게 자신의 삶을 이야기한다. 어떨 땐 얼굴 가득 먹구름이 낀 채 푸념하기도 한다. 하지만 꽃들이여, 모두 용기를 내라. 그 불편함도 모두 향기로우니.

찌푸리고 있다고 꽃이 아닌 건 아니지 않는가.

내가 잘 살고 있는지, 잘하고 있는지 끝없이 뒤돌아보는 것도 용기가 필요한 일이다. 살다 보면 외면하고 싶은 일도 많고, 의지와는 상관없이 이해할 수도 없는 일이 벌어지기도 한다. 그럴 때 무엇을 하는가. 나는 그럴 때 거울을 본다. 그리고 내 얼굴을 보며 괜찮다고 말한다. 물을 주고 손질하듯 예쁘게 메이크업하며 나를 사랑하는 것이다.

은밀한 마담들
-헤어핀 만들기 클럽

　나의 어머니는 재봉사였다. 덕분에 나는 초등학교를 졸업할 때까지 대부분 어머니가 지어 준 옷을 입었다. 그 시절에도 유행이라는 게 있어서 어떤 소재, 어떤 디자인의 옷이 한때 유행이다 싶으면 사람들은 단체로 와서 같은 옷을 지어 입었다. 하지만 나는 예외였다. 어머니가 다른 사람들과는 확실히 차별화되게 둘도 없는 디자인으로 옷을 만들어 주었기 때문이다. 형편이 어려워 새 옷을 자주 지어입진 못했으나 가끔 어머니가 지어 준 예쁜 옷을 입을 때면 뿌듯했다. 그래서 한때는 재봉사가 되는 게 꿈이었다. 어머니의 싹둑싹둑하는 가위질과 드르륵거리는 재봉틀을 거치면 그냥 옷감이었던 원단이 멋진 옷으로 변하는 것이 너무 신기했다. 늘 어머니에게 패턴 뜨는 걸 가르쳐 달라고 졸랐지만 그때마다 어머니는 "재간 있으면 고생이다. 배우지 마라."고 단호하게 잘라버렸다. 재봉사가 되려던 내 꿈은 피어보지도 못한 채 사그라졌고 그때부터 내 꿈은 선생님으로 바뀌었다. 하지만 어깨너머로 배운 손바느질 솜씨는 꽤나 괜찮아서 '손부리 여물다.'는 소리를 자주 들었다.

나는 어머니가 버린 자투리 천으로 할아버지에게 칠색 장지갑도 만들어드리고 신 깔개며 버선이며, 핸드백도 손쉽게 뚝딱 만들었다. 조금 더 자신감이 있을 때는 나보다 아홉 살 어린 사촌여동생에게 스커트도 만들어 주고 눈짐작으로 대충 패턴을 떠서 누빔 저고리도 만들어 입히곤 했다.

딸아이가 태어나고부터 뭔가 내 손으로 해 주고 싶은 감정이 자꾸만 충동질했다. 그때 마침 내가 회사에서 하던 일도 의류 관련 일이라서 그런지 옷을 만들어 입히고 싶은 생각이 더 간절했는지도 모른다. '돈을 주면 훨씬 더 예쁜 옷도 수두룩한데 왜 고생을 사서 하냐.'는 어머니의 잔소리를 귓등으로 흘린 채 나는 원단을 잘라 딸아이에게 원피스도 만들어 입히고 원피스와 세트로 모자며 헤어밴드도 만들었다. 딸아이는 나의 모델이고 장난감이었다. 하지만 어머니 말대로 집에서 손바느질로 만드는 건 너무 시간이 걸렸다. 어지간한 정성이 아니고서는 만들 수가 없었다. 시간과 여유가 필요했다.

작년에 딸아이네 학교에서 크리스마스 파티에 입는다고 여자애들은 모두 흰색의 드레스를 준비하라는 통지를 받았다. 한두 번 입고 말 드레스를 백화점에서 사자니 돈이 아깝고 인터넷에서 주문하자니 디자인이 다 거기서 거기였다. 결국 내가 만들기로 했다. 원단 도매 시장에 가서 겉감과 안감, 샤와 레이스를 구매하고 비즈를 구매하고, 곧바로 작업에 들어갔다. 며칠을 고생한 끝에 드디어 내 손에서 이 세상에 유일한 드레스가 탄생했을 때 딸아이의 행복해하는 모습을 보며 나도 행복해졌다.

이렇게 나의 핸드메이드 작업은 가물에 콩 나듯 몇 년에 한 번꼴로 드물게 진행되었는데 본격적으로 시작한 건 아줌마 4인조 여행팀이 자주 만나서 수다를 떨면서였다. 아줌마들의 수다 내용이라 해 봤자 남편, 자식, 시집살이 고충, 친정 부모, 비상금 이야기 같은 인생살이였다. 그러다가 그냥 수다만 떨기보단 뭔가 의미 있는 일을 해 보는 게 어떻겠느냐는 생각을 했고, 궁리 끝에 우리는 헤어핀을 만들기로 했다. 딸을 둔 엄마들이다 보니 이런 소품에 공동으로 흥미를 갖고 있었고, 우리는 즉각 행동으로 옮겼다. 각자 원단 자투리며 비즈도 준비하고 꼭 필요한 물건은 인터넷으로 구입했다. 그리고 매 달 한 번씩 모여 수공을 하기로 했다.

첫날, 우리는 각자 자기가 제일 자신 있는 것들을 만들어서 마무리 작업을 한 후 서로 나눠가졌다. 만들고 보니 제법 그럴듯해서 성취감이 있었다. SNS에 사진을 올렸더니 반응이 뜨거웠다. 가끔 인생의 무대는 관중을 필요하기도 한다. 모든 사람들이 잘 만들었다고 칭찬을 하니 더욱 성취감이 있고 뿌듯해졌다. 소문이 나자 두 번째부터는 여기저기 친구들, 동료들한테서 주문이 들어오기 시작했다. 그때부터는 주문 받은 걸 만들고 다시 우리가 만들고 싶은 걸 만들었다. 몇 번 만드니 우리 힘으로 만들 수 있는 한정된 디자인은 이미 다 만들어서, 개발과 샘플 따오는 작업이 필요했다. 인터넷에서 다른 사람들이 만든 그림을 따서 그걸 보고 만들었다. 예쁜 포장지를 사서 주위의 친구들에게 선물도 했더니 모두들 정성이 들어간 핸드메이드라며 엄청 좋아했다.

매달 한 번씩 만나는 거지만 주말에 딸아이와 남편을 두고 나와서 하루 종일 있는 거라 살짝 눈치가 보이기도 했다. 놀러가는 게 아니라 핸드메이드 헤어핀 작업을 하러 간다는 거창한 명분을 내걸고 만나니 왠지 위로도 되었고, 딸아이가 아침에 학교 갈 때마다 내가 만들어 준 액세서리를 번갈아가며 착용하고 가는 걸 보면 행복했다. 그 전에 사놓은 갖가지 헤어 액세서리도 수없이 많았지만 엄마가 직접 만들었다는 의미에는 비견할 수 없는 것인지 딸아이는 늘 내가 만들어 준 것만 고집했다.

만들수록 기술도 늘고 선물하는 재미도 쏠쏠해 우리는 각자 집에서도 재료를 두고 짬만 나면 열심히 만든다. 돈만 주면 살 수 없는 게 없을 정도로 세상은 풍요로워졌지만 누군가에게 특별히 정성을 담아, 오직 그 사람을 위해 손으로 만들어 준 선물이라면 받는 사람은 누구라도 감동한다.

이제 헤어핀 작업이 한 단계 끝나면 다음에는 쿠션커버나 컵받침, 스카프 같은 것도 시도해볼 생각이다. 계절이 바뀌면 커튼도 테이블보도 바꿔 집의 분위기를 확 바꾸는 센스 있는 아줌마로 변신해 봐야지.

우리의 수다 내용은 변함이 없으나 우리의 일상과 신변에는 서서히 변화가 오기 시작했다. 작은 것에 행복해 하고 감사할 줄 알며, 나누는 것에 대한 기쁨과 나누어 줄 수 있는 물건이 있다는 것에 대한 행복감. 이런 것이 우리의 일상을 더욱 재미있고 풍요롭게 만들어 준다.

와인의 홀림과 끌림

나와 와인의 첫 만남은 의외로 정감이 넘친다. 고향에서는 정월 대보름이면 귀밝이술을 마신다고 해서 포도주를 한 잔씩 돌렸는데 어릴 때는 그게 그렇게 맛있을 수가 없었다. 일 년에 딱 한 번, 정월 대보름날 아침에만 맛보는 포도주는 맛이 일품이었다. 원래 물건은 귀하면 더 맛있는 법이다.

이후 사회생활을 하면서 한 번은 남방 도시로 출장을 갔는데, 저녁 식사 자리에서 업체의 손님들이 와인을 마시자고 했다. "전 술을 못해요." 했는데 와인은 술도 아니라면서 사이다에 타서 마셔 보라고 권했다. 마셔 보니 과연 달짝지근한 게 맛있어서 홀짝홀짝 부어 주는 대로 마시기 시작했다. 그리고 그 다음날, 머리는 빠개지는 듯 아프고 속은 게워내도 쓰리고 기운이 하나도 없었다. 결국은 병원에 가서 링거를 맞아야 했다. 그 후에는 와인이라고 하면 지레 겁을 먹었다.

그러다 와인에 완전 맛을 들이기 시작한 건 한동안 독일에 살았을 무렵이었다.

독일에는 와인 매장이 따로 있었는데 2유로, 3유로 하는 싼 와인들도 국내 슈퍼에서 파는 2백 위안, 3백 위안짜리 와인처럼 맛이 좋았다. 나는 저녁마다 와인을 마셨다. 이국 타향에서 외로움을 달래기 위해 마셨지만 건강에 좋다는 그럴듯한 이유를 달아 와인을 마시던 나 자신을 위로했다. 와인을 마시면 지독하게 밀려오는 외로움 때문에 밤을 지새우지 않고 기분 좋게 숙면을 취할 수 있었다. 그리고 나는 소주나 맥주에 비해 와인을 마신 다음날이면 숙변을 보는데 색상이 기막히게 예쁘다. 그래서 와인과 나는 천생연분이라고 생각하면서 와인을 더 즐기게 되었다.

그 후로는 친구들이나 손님들과의 식사 자리에서도 가능하면 와인을 찾았다. 와인은 점점 내게 친절한 애인처럼 다가왔다. 와인을 더 알고 싶었다. 그러던 차에 사이버대학의 교양 과목 중에 마침 와인 강의가 있어 바로 수강 신청을 했다. 와인 과목을 가르치시는 이정창 교수님은 와인 분야의 대가였다.

플라톤은 와인을 '신이 인간에게 준 최고의 선물'이라고 했으며, 파스퇴르는 '한 병의 와인에는 세상의 어떤 책보다 더 많은 철학이 들어있다(이정창 『와인 소주처럼 마셔라』에서 발췌).'라고 표현을 했다니

책을 좋아하는 내가 와인을 좋아하는 것을 보면 그것도 일리가 없지는 않은 것 같다.

이 책에서 이정창 교수님은 와인을 머리가 아닌 가슴으로 마시는 술이라고 표현했다. 한 사람을 사랑하듯이 가슴으로 느끼면서 마셔야 술맛을 제대로 느낄 수 있다는 것이다. 사실 나는 와인을 마시면 분위기에 벌써 취한다. 낭만의 도시라고 하면 파리가 제일 먼저 떠오르듯이, 와인도 늘 로맨틱한 코드에 맞는 술이다.

어느 지방의 포도로 만들었는지에 따라 와인의 향과 맛이 정해진다는 것은 와인을 마시는 사람이라면 누구나 아는 상식이겠지만 와인 중에 특별히 로맨틱한 분위기를 연출하는 와인은 모스카토 와인이라는 걸 나는 와인에 대한 수업을 받으면서야 알았다. 모스카토는 한 가지로 정해진 품종이 아니라 100가지가 넘는 변종을 가지고 있는, 가장 오래된 포도 품종으로 식용, 건포도, 와인용 등 다양한 용도로 쓰이는 여러 가지 품종을 묶어서 표현한다. 모스카토로 만든 와인은 약간의 청량감을 주는 달콤함 때문인지, 함께 술을 마신 상대방도 매력적으로 보이게 한다고 한다. 그래서 연인들이 마시기엔 최고라고 한다. 이쯤에서 기억을 떠올려보자면 남편과 연애할 때 처음 식사하며 그가 주문했던 와인이 모스카토가 아니었나 싶다.

좋은 와인은 오랫동안 어두운 곳에 보관되는 인고의 시간이 필요하다. 지날수록 맛이 더욱 깊어지는 와인은 만날수록 좋은 사람과 읽을

수록 좋은 책을 닮았다. 좋은 사람과 좋은 책은 안목이 없으면 좀처럼 가치를 알아볼 수 없다. 코르크 마개를 따고 산소와 섞이는 바로 그 때에야 진정, 진면목을 알 수 있는 것이다.

　내게 소중하면서도 편한 친구 같은 와인, 나는 오늘도 와인 한 잔을 하며 행복하게 글쓰기 작업을 하고 있다.

미술관에서의 시간은 천천히 흐른다

　적어도 딸아이가 태어나기 전까지는 미술관이라는 곳은 아주 고상한, 예술의 전당쯤으로, 나 같은 일반인들이 가는 곳이 아닌, 예술가들만 가는 곳쯤으로 인식했었다. 미술관은 나와 멀어도 한참 멀었다.

　그러다 딸아이가 태어나고 유치원에 다니기 시작하면서, 나는 전에 전혀 관심 없던 것들에 대해 눈길을 돌리게 되었다. 엄마 수업을 받는 거라고 할까, 인생 수업을 받는 거라고 할까. 엄마가 된다는 것은 많은 것을 배워야 한다는 것을 뜻하기도 한다. 그렇게 나와 미술관의 인연은 이어졌다.

　한 달에 두세 번 정도 나는 미술관에 간다. 시간과 공간을 초월한, 나의 상상력을 수 천 만 배는 초월한 작품을 보며 나는 꽉 막힌 내 상상력을 조금이라도 열어보려고 애를 썼다.

가을이 한창 무르익은 10월 초에 나는 친구와 함께 상하이 반나절 아트 투어를 하기로 했다. 햇살 좋은 신천지에서 점심을 먹고 상하이의 모친강母親河으로 불리는 쑤저우 하반에 자리 잡은 미술관으로 향했다. 회색의 창고 같은 외곽의 건물 안에는 십 대, 이십 대의 젊은이들로 붐볐다. 그날은 일본의 잡화 브랜드인 MUJI에서 주최하는 FOUND MUJI CHINA 예술전시회가 있었다. 소박하고 간결하고 친환경을 선호하는 MUJI의 이념이 반영된 물품들이 있을 것이라 예상했으나 정작 전시된 물품을 보는 순간 나는 아, 하고 조그맣게 감탄을 했다. 전부가 나의 어린 시절의 추억을 불러일으키는 물품들이었다. 참대소쿠리, 나무잣대, 참대로 엮은 헬멧, 군복색 캔버스 신발, 부대에서 사용하는 에나멜 머그컵, 서툴은 박음질선의 투박한 장갑, 군복색 책가방, 천으로 만든 장지갑, 자투리 천으로 누빈 신깔개, 천으로 만든 신발, 참대로 만든 옷걸이, 나무 쪽걸상, 장농, 장독……

　점점 더 도시화되는 요즘, 사람들은 옛것에 대해 차츰 잊고 그것이 생활과 인류에게 주는 이로움을 잊고 산다. 전시물들은 내게 보물섬에서 보물을 찾은 듯한 기분이 들게 했다. 나도 모르게 내 생활에서 서서히 자취를 감춘 옛것에 대한 향수를 경험했다. 가슴 깊은 곳에 숨어 있던 오랜 그리움이었다.

　두 번째 행로는 난징시루에 있는 상하이당대예술관이었다. 그곳은 공원 안에 있는 예술관이었는데 마침 '상하이플라워' 시리즈의 리레이의 추상화전시회와 어린이들을 상대로 '리틀 모나리자' 전시회가 열리고 있었다. 추상화는 처음 접했다. 너무 어렵다고만 생각되어 전에는 감히 구경할 생각을 못했다. 내겐 그냥 물감을 아무렇게나 뿌려 놓은 것 같은, 한마디로 굉장히 어렵고 추상적인 도안들이었다. '이건 뭐지? 왜 이렇게 그렸을까? 도대체 표현하자고 하는 게 뭐지?' 나는 끊임없이 나 자신에게 질문을 하며 가까이에서, 멀리에서 그림 하나하나를 눈여겨보았다. 리레이의 작품은 그림뿐이 아니라 영상, 시를 통해서도 표현하고 있었는데, 벽에 중문과 영문으로 쓰인 시들은 그림에 비해 훨씬 더 직접적으로 나에게 다가왔다. 이런 시도 있었다.

모두 뿌리가 없다

미친 듯한 초조를
뿌린다
습기 차고 눅눅한 모든 곳에
하나님의 그물은
붐비는 욕망을 포획하지 못한다
격정은
유연함과 부딪쳐

모든 낮과 밤에
불꽃을 선사한다
그리고 콘페티
하늘에 온통
땅에도 온통
모두 뿌리가 없다

뿌리가 없다는 건 고통스러운 일이다. 하지만 뿌리가 없어도 모두 살
아갈 수 있다.

추상화의 세계에서 질문과 사색을 번갈아하며 3층으로 올라가니 거
기에는 '리틀 모나리자' 전시회가 열리고 있었다. 방금 전의 추상화와
는 전혀 다른 발랄한 느낌이었다. 거기엔 중국의 경극복을 입은 모나리
자도 있고 눈을 살짝 감고 있는 모나리자도 있고 '모나리자의 미소'
라는 주제로 다양한 사람들의 미소를 다양하게 해석한 사진들도 있었
다. 어린이들에게 상상의 나래를 펼치고 창의성을 키워 주기 위한 미술
전시회였다.
모나리자는 '리자부인'이란 뜻이다. 나도 모나리자 옆에 팔짱을 끼
고 서서 '모나 메이란'의 미소를 지어 보았다. 세상에서 가장 아름다

운 미소를.

예술은 생활에 기인한 것이지만 생활보다 더 아름다운 것이다. 몇 년 전에 남편과 운남성 따리大理라는 곳에 여행을 간 적이 있다. 저녁에 따리의 외국인 거리를 돌다 거리에서 그림을 그리는 화가를 만나 나와 남편의 초상화를 그려달라고 했다. 그랬는데 그 화가가 그린 나의 초상화가 본인보다 예쁘게 나왔다. 남편은 우스개로 그림이 실물과 다르다면서 돈을 지불하지 않겠다고, 왜 더 예쁘게 그렸냐고 '불만'을 토로했다. 그랬더니 화가는 이렇게 응수했다. "원래 예술이란 생활보다 한 차원 높은 거예요." 덕분에 나는 실물보다 예쁜 나의 초상화를 기분 좋게 얻었다.

생활을 떠난 예술은 없다고 본다. 돌이켜 보면 어린 시절을 보냈던 고향의 사계절은 그 자체가 예술 작품이었다. 자연의 풍경은 아름다운 수채화가 되고 수묵화가 되었다. 봄이 오면 파릇파릇 움이 트던 냇가의 수양버들이며 여름이면 개울에서 빨래하던 아낙의 모습이며 가을이면 황금빛으로 물들어 황금파도가 출렁이는 논밭이며, 겨울이면 순백으로 반짝이는 대지와 나무와 지붕들. 예술이 뭔지를 모르는 나에게 대자연은 가장 아름다운 작품을 이미 수도 없이 나에게 보여 주었다.

관람을 마치고 나와 친구는 3층에 있는 순백의 커피숍에서 느긋하게 애프터눈티를 마셨다. 그림에 대해 문외한이지만 우리만의 시선으로 열렬한 논쟁을 벌였다. 예술은 마음이 넓어서 우리의 서툰 논쟁도 마음껏 허용 해 주니까.

서른
아홉,
다시 봄

문학을 읽다
책 읽는 여자, 꽃 피우다

책 읽어 주는 엄마

딸아이가 태어나고 만 한 살이 되어서부터 아줌마를 구해서 썼다. 그런데 아줌마를 써 본 엄마들은 잘 알겠지만 괜찮은 아줌마는 극히 드물다. 길어서 일 년, 적게는 한 달에 한 번씩 바꿀 때도 있었다. 딸아이는 점점 안정감이 없어졌고 아줌마 바꾸는 데 신물이 난 남편은 드디어 최후통첩을 내렸다. 회사를 그만두고 아이를 돌보라는 것이었다. 그 문제에 관해서는 딸아이도 투정이 심했다. 자기의 최고 소원이 유치원 갔다 올 때 엄마가 대문에서 스쿨버스 기다리는 거라고 했다.

사실 나로서는 어려운 선택이었다. 성격상 전업주부보다는 워킹 우먼이 훨씬 더 어울린다고 자부하고 있었고 주위의 친구들도 '넌 집에서 애를 볼 사람이 아니야. 그러다 너 병난다.' 하며 나의 생각을 지지해 주었다.

돌이켜 보면 내가 출산휴가 끝나고 바로 회사를 나간 건, 육아에 지레 겁을 먹고 회사로 도피를 하려 했던 건지도 모른다. 집에만 눌러앉아 있으면 사고가 갓난아이와 똑같아진다는 둥 우울증이 온다는 둥 이런 얼토당토않은 '전직 맘'에 대한 편견을 곧이곧대로 믿은 것이다.

실제로 딸아이와 3개월 가까이 지내다 보니, 분유를 먹이고 기저귀를 바꾸고 하는 따분한 일상에 싫증을 느끼고 있기도 했다. 회사로 복귀를 하는 게 경제적으로든 육체적으로든 훨씬 낫다고 결론을 내린 것이다.

하지만 딸아이가 커감에 따라 교육 문제가 급선무가 되었다. 내 평생에 가정주부라는 직업은 없다고 큰소리치던 나도, 더 이상은 딸아이를 보모한테 맡기는 건 잘못된 판단이란 걸 절실히 느꼈다.

회사를 그만두고 집에 있으니 처음엔 적응이 안 되었다. 끊임없이 울리던 휴대폰도 잠잠해졌다. 컴퓨터를 켜고 습관적으로 메일을 확인하면 새 메일이 없는 편지함은 나를 허무하고 초조하게 만들었다. 나는 새로운 이 직업에 적응할 시간이 필요했다.

그때 딸아이는 유치원에서 마지막 학기를 보내고 있었고 만 다섯 살이었다. 아침에 아이를 유치원에 보내고 나면 종일 남아도는 게 시간이었다. 집안 청소를 하고 잠깐씩 친구도 만나고 도서관도 다니고 가족들을 위한 요리도 열심히 만들었다. 그 동안 바쁘다는 핑계로 별로 읽지 않았던 자녀교육에 관한 책과 딸아이가 읽을 만한 동화책, 아동 문학책을 가득 사들였다. 그리고 집을 책 읽기 좋은 환경으로 만들었다.

그때 거실이 두 개였는데 제일 큰 거실을 서재로 만들고 책장의 아랫부분은 딸아이 손이 닿을만한 곳에 어린이 책을 사서 넣어 뒀다. 그리고 딸아이의 방에도, 나의 침실에도 거실에도 전부 책장을 하나씩 놓았다. 어디에든 책이 있었고 손이 닿는 곳은 모두 책이 있는 환경으로 만들었다.

'책 읽어 주는 엄마'는 그 즈음 내가 모 사이트에 시리즈로 올렸던 글이다. 매일 딸아이에게 읽어 주던 책 내용과 딸아이와의 일상을 글로 적었는데, 지금 다시 읽어보니 딸아이의 성장일기처럼 다섯 살 딸아이의 천진난만한 모습이 그대로 기록되어 있어서 소중한 추억거리로 남아 있다.

내가 쓴 시리즈는 '이 세상 모든 엄마들처럼', '책을 사랑하는 사람', '사람은 사랑으로 산다', '사랑스러움뿐인 너', '굿바이 티비', '너의 꿈을 펼쳐라', '말의 영향력' 등의 주제로 15편 가량이다. 원래는 30회쯤 예상하고 쓰던 글이었는데, 5개월에 거쳐 15회를 썼을 때 딸아이는 이미 독자적으로 독서를 시작을 해서 더 이상 '책 읽어 주는 엄마'를 필요로 하지 않았다. 엄마가 매번 반 시간, 사십여 분 정도 읽어 주는 걸로는 성에 차지 않았던 것이다. 자기 힘으로 책을 읽다가 재미난 부분이 있으면 되레 아이가 나한테 읽어 주기까지 했다. 딸아이는 다섯 살 반에 초등학교에 입학을 했는데, 입학할 무렵엔 아동 문학을 하루 저녁 백 페이지 가량 읽을 정도였다.

딸아이는 어려서부터 또래들보다 말을 빨리 텄다. 20개월쯤 되었을 때 당시唐詩를 몇십 수씩 줄줄 외웠다. 동요도 잘 불렀다. 그러면서 두 살 때부터 한자를 익히기 시작했다.

가장 기억에 남는 건 하루는 딸아이를 안고 저녁 산책을 나갔는데 딸애가 휘영청 밝은 달을 보더니 이백의 시 '정야사靜夜思'를 읊는 것이었다.

"평상에 가득한 달빛이 마치 하얀 서리 같구나. 머리 들어 휘영청 밝은 달을 바라보고 머리 숙여 고향 생각에 잠긴다."

나는 아이가 사물을 보고 거기에 맞는 시를 떠올린다는 것이 그저 신기할 따름이었다.

딸아이가 만 두 살이 되기 전, 해남도에 여행을 데리고 갔을 때도 사람들 앞에서 당시를 읊고 노래를 불렀다. 어떤 노래는 자기 힘으로 가사도 고쳐서 불렀다. '문 앞 대교 밑에 오리 한 무리가 살고 있었어요.' 이 가사를 '남포대교 밑에 오리 한 무리가 살고 있어요.'로 바꿔서 부르기도 했다. 그때 우리가 살고 있는 집이 바로 상하이의 푸동과 포서를 이어 주는 남포대교를 마주하고 있었다.

지금도 우리 집 거실에는 텔레비전이 없다. 대신에 도처에 쌓인 것이 책이다. 남편은 첨엔 집이 어지럽다고 잔소리도 했지만 이젠 이 환경에 적응이 되었다. 남편도 책 읽기를 좋아한다. 저녁 식사가 끝나면 각자 소파에, 의자에 책 한 권씩 들고 앉아서 독서를 하는 진풍경이 벌어진다.

나도 '책 읽어 주는 엄마'는 졸업한 지가 오래다. 올해 9월에 초등학교 5학년인 딸아이의 독서량은 이미 엄마, 아빠의 독서량을 초월했다. 평소에 학교에서 휴식 시간을 이용해 한 권 내지 두 권은 후딱 읽어치우고 저녁에도 집에 오면 손에서 책을 놓으려 하지 않는다. 책을 읽다가 재미있는 구절이 있으면 무조건 나에게 얘기를 해 주거나 책을 들고 와서 날더러 몇 페이지씩 읽어 보라고 '강요'도 한다. 귀찮을 정도다. 하지만 '책 읽어 주던 엄마'로 지내던 그 시절을 돌이켜 보면 참 잘한 선택이었다 싶어 어깨가 으쓱해진다.

책 읽어 주는 엄마 ①
〈이 세상 모든 엄마들처럼〉

비야, 오늘은 우리 집에 경사가 난 날이다. 무슨 좋은 일이 있냐고? 한국에 있는 네 막내 이모가 어여쁜 공주님을 낳았단다. 방금 전에 외할머니한테서 전화가 왔어. 엄마는 궁금해서 당장이라도 가 보고 싶지만 널 돌볼 사람이 없으니, 나중에 시간이 날 때 가 보기로 했단다.

오후에 이모가 휴대폰으로 사진을 찍어서 보내왔더라. 눈을 감고 있어서 누굴 닮았는지 잘 모르겠지만 도톰하고 붉은 입술은 이모를 닮은 듯하구나. 갓난아기라서 그런지 너의 출생 때 몸무게보다 1킬로그램이나 더 나간다는 데도 엄마 눈에는 너무너무 작아 보이더라고.

기운이 하나도 없으련만 행복에 겨워 들떠 있는 이모의 심정을 엄마는 전화선을 타고 흘러오는 목소리를 통해 고스란히 느낄 수가 있었단다.

엄마는 축복 외에도 이모에게 전부터 누차 말했던 그 충고를 오늘도 늘어놓고 말았단다. 이모한텐 잔소리처럼 들릴지 몰라도. 이제 아이가 태어났으니 오늘부터 당장 아이한테 책을 읽어주라는 말과 그 누구도 엄마를 대신 할 수는 없다는 이야기 말이야.

그건 엄마가 널 키우면서 절실히 느꼈던 거야. 세월을 되돌릴 수 있다면 엄마는 네가 태어난 그날부터 줄곧 너와 함께하고 싶단다. 적어도 네가 초등학교 3학년에 다닐 나이가 될 때까진 말이다.

출산의 고통, 그것은 가장 고통스러우면서도 위대한, 그 무엇과도 비교할 수 없는 크나큰 희열을 동반한 아픔이란다. 그래서 출산은 이 세상 모든 엄마들이 인생에서 가장 행복했던 시각으로 손꼽는 그런 순간이기도 해.

엄마가 수술을 마치고 병실에 누워 있을 때, 간호사가 안고 온 너를 본 순간의 그 감격을, 그 희열을 뭐라고 형용할까? 이 세상의 그 어떤 아름다운 형용사나 감탄사로도 엄마는 그 순간의 심정을 표현하진 못할 거야.

그건 신기하고 감동적이고 고맙고, 더할 나위 없는 그런 행복감이란다. '이 세상 모든 걸 얻은 것처럼'이라고 표현하면 가장 근접한 표현일지 모르겠구나. 3kg도 안 되는 네가 눈을 동그랗게 뜨고 엄마를 알아보기라도 한 걸까. 엄마를 보는 그 모습이 얼마나 예쁜지. 엄마는 정말이지 너를 엄마곁에서 한시도 놓고 싶지를 않았어.

이 세상 모든 엄마들처럼 나도 널 건강하고 똑똑한 아기로 키우겠다는 신념으로 영양가 있는 음식을 챙겨 먹고 태교도 열심히 했지. 주말이면 아빠도 같이 태교 강의 들으러 다녔고. 네가 태어나면 매일 샤워시켜 주고, 이야기책 읽어 주고, 같이 놀아 주고 그러고 싶었어, 한시도 너의 곁을 떠나지 않으려고 다짐했단다.

네가 태어난 첫 1개월, 엄마는 너와 단둘이 있을 때 네게 늘 노래를 불러주거나 당시唐詩를 틀어 줬지. 그러면 넌 내용을 알아듣기라도 하는 것처럼 조용하게 잘 듣고 있었단다. 한참 후에야 엄마는 조기 교육에 관한 책을 보고 태아가 출생한 후 첫 1개월 간 엄마와 같이 있는 시간이 많을수록 태아의 성장과 발전에 큰 영향을 미친다는 걸 알게 되었어. 이건 지금까지의 엄마로서 나의 유일한 위안거리기도 해.

하지만, 네가 태어난 지 3개월 후, 엄마는 출근을 했어. 너와 함께 있는 시간도 좋았지만 육아에만 얽매이다 보면 차츰 사회생활 능력이 떨어질까 겁이 난 거야. 출산을 하면 누구든지 겪게 되는 주부들의 불안을 아직 너는 이해하지 못하겠지.

그래, 엄마는 결국 직장 생활을 택했어. 출근을 하는 편이 아이 보는 것보다는 훨씬 나은 일이란 걸 알았어. 그래서 엄마는 다시 회사로 나갔단다. 너를 낳기 전보다 더 열심히 일을 했지.

처음에는 외할머니가 널 돌봐 주고 계셔서 엄마도 시름 놓고 회사 일을 할 수가 있었지. 하지만 네가 10개월쯤 되었을 때, 외할아버지의 갑작스런 입원으로 집에서는 보모를 구해야만 하는 형편이 되었단다. 낯선 사람, 그리고 보모 경험이 있는지 없는지도 모르는 사람한테 너를 맡긴다는 게 걱정되었지만 별 수 없었지. 엄마는 그때까지도 집에서 널 돌볼 생각을 못했고 꼭 출근해야만 된다고 생각했어. 그래, 엄마는 욕심도 많았고, 또 집에만 붙어서 아이만 보는 그런 가정주부의 생활은 상상만 해도 끔찍한 일이라고 생각했지. 엄마뿐 아니라, 엄마를 잘 안다는 엄마의 친구들 모두가 엄마보고, "넌 절대로 집에서 애나 볼 사람이 아니다."라고 장담하듯이 얘길 하기에 엄마는 회사 다니는 게 무슨 벼슬이라도 된 듯이 해야 할 일이라 생각했었어.

　첫 번째 보모는 마음이 엄청 따뜻했고, 그 전에 초등학교 선생님을 해서 말을 배우기 시작하는 너에게 말도 많이 가르쳐 주었지. 하지만 가사는 엉망이었어. 그리고 고향을 멀리 떠나온 지 얼마 안 된 사람이라 매일 집 생각을 하며 눈물을 흘리곤 했지. 결국 두 달을 못 넘기고 그 사람은 고향으로 돌아갔단다.
　엄마와 아빠는 급히 직업소개소로 달려갔고, 그 동안 보모에게 잠깐 정을 붙였던 넌 또 다시 새로운 보모를 만나게 되었지. 새 보모는 첫 인상이 뭔가 찜찜했어. 하지만 별 수 있니? 엄마와 아빠 울며 겨자 먹기 식으로 널 그렇게 마음에 안 드는 사람한테 맡겨놓고 출근을 했단다. 대신 전화를 자주 했지. 네가 뭘 하고 있나 싶어서.

엄마의 직감은 적중했단다. 새 보모는 엄마가 그렇게 신신당부를 했는데도 그 무더운 여름날, 더위를 먹을지도 모를 한낮에 널 안고 밖으로 나갔더구나. 자기의 남자친구를 만나러 나간 거지. 엄마가 일찍 퇴근해서 집으로 왔더니 그녀는 또 남자친구를 만나러 갈 준비를 하더구나. 엄마는 그냥 널 안고 광장으로 나갔지.

저녁이면 광장에는 많은 사람들이 나와서 음악을 틀어놓고 춤을 추곤 했어. 넌 광장에만 도착하면 항상 분수대의 계단을 오르내리기를 제일 즐겼단다. 그런데 그날은 엄마 품에 안겨서 죽기 살기로 엄마 목을 끌어안고 떨어질 생각을 하지 않더구나. 그러더니 급기야는 엉엉 울기 시작했어. 엄마는 널 달래며 광장에서 잠깐 걷다가 결국은 집으로 돌아왔지만 집에 와서도 너의 울음은 그치지 않았단다. 먹을 걸 줘도 소용없고 놀잇감을 줘도 너의 울음은 그칠 줄을 몰랐어. 한두 마디 단어밖에 말할 줄 몰랐던 네가, 마음속에 얼마나 큰 원망이 있었으면 그렇게 울었겠니? 그렇게 큰소리로 울었던 건 그 전에도 그 후에도 그날 단 한 번밖에 없었단다. 그날 엄마는 널 달래다 못해 결국 널 끌어안고 같이 울었어. 넌 울다가 지쳐서 잠이 들었고. 지금도 생각만 하면 가슴이 꽉 막혀오면서 눈물이 나오려고 해. 미안하구나. 비야!

참다못해, 아빠는 결국 벼락같이 화를 내며 그녀를 쫓아버리고 세 번째 보모를 청했단다. 사천 아줌마였는데 그 유명한 사천 휘궈火鍋처럼 화끈한 성격에, 밝은 마음씨를 가졌더구나. 일손도 잽싸고 너를 대하는 것에도 진심이 우러났어. 그 아줌마가 널 봐 주는 동안 엄마는 그나마 마음 편하게 출근을 할 수가 있게 되었단다.

하지만 4개월인가 지나서, 그 아줌마의 시어머니가 많이 아프셔서 그 아줌마도 결국은 또 고향으로 돌아가게 되었단다. 그러고 나서 수없이 바뀐 아줌마들. 매번 아줌마를 바꾸고 나면 너는 아줌마와 적응하는 시간을, 아줌마는 우리 집에 적응하는 법을 배우느라 많이 힘들었단다. 너의 어린 마음엔 그때부터 사람에 대한 불신감과 불안감이 싹트기 시작했는지도 몰라. 매번 정을 주면 그 아줌마들은 이런저런 사연으로 떠나가거나 우리가 내보내게 되었으니까. 물론 그러면서 넌 또래의 다른 아이들보다 훨씬 더 빨리 낯선 사람과 사귀는 능력을 스스로 터득하기도 했지만.

그 중에서 너와 가장 정이 두터웠던 손 아줌마는 네가 3살 무렵부터 4살 넘어서까지 있었지만 고향에 일이 생겨서 떠나게 되었고, 그때가 마침 여름 방학이라 우리는 널 홍콩 고모네 집으로 보냈지.

네가 홍콩에 있는 20일 동안 엄마와 아빠는 사흘이 멀다 하고 직업소개소를 드나들었지만 정말로 마땅한 사람이 없었단다. 홍콩에 있는 너와 가끔씩 통화를 할 때면 넌 엄마, 아빠의 안부를 묻는 게 아니라 매번 "아줌마 찾았어?" 하고 물었어. 넌 기억하고 있니? 근심걱정 없이 뛰어 놀아야 할 나이에 넌 이런 큰 걱정거리를 안고 살았었구나.

홍콩에서 다시 너를 데려와서도 아줌마는 계속 바뀌었어. 아줌마를 바꾼다는 소릴 듣고 넌 울면서 엄마에게 애원을 했어. "엄마, 그냥 이 아줌마 그대로 쓰면 안 돼?" 하고 말이다. 그래서 아줌마를 내보내는 엄마의 마음도 몹시 아팠단다. 다시 새 아줌마가 와도 모든 건 마찬가지였지.

너는 하루하루 성장했고, 그냥 밥해 주고 빨래해 주고 청소해 주는 보모한테 의지해서는 더 이상 안 되겠다는 위기의식도 커졌어. 엄마는 너의 곁에 있어야겠다는 걸 그제야 깨달았단다. 너의 교육 문제가 우선 급했지. 넌 벌써 곧 초등학교에 입학 할 나이가 되었으니 말이다.

오늘 엄마는 〈좋은 엄마는 좋은 선생님보다 낫다〉라는 책을 봤는데, 그 책에 이런 구절이 있었어.

현대 가정 교육 중 한 가지 제일 큰 문제는, 부모들이 자녀를 위해 생명을 바칠 수는 있지만 자녀에게 시간과 마음을 바치지 않는다는 것이다. 한 가지 일을 반드시 해야 한다면 꼭 이유가 있게 마련이고, 한 가지 일을 하지 않으려고 할 땐 핑계가 수두룩하다.

이걸 읽고 엄마는 너무 늦게 알아서 슬프기도 했고, 또 이제라도 깨달아 다행이라는 생각도 들었단다. 네가 가장 소중하다는 것을, 이제라도 깨닫게 해 주어 고맙구나. 착한 네가 나를 좋은 엄마로 믿고 항상 기다려 주지 않았다면, 나는 아마 영영 알지 못했을 지도 몰랐단다. 너를 위해서 늘 노력하고 발전하는 엄마가 될게.

책 읽어 주는 엄마 ②
〈책을 사랑하는 사람이 되어라!〉

비야, 오늘은 날씨가 참 좋구나. 너도 느꼈겠지만 '화창한 봄날'이
란 단어에 썩 잘 어울리는 그런 날이야. 널 스쿨버스 타는 데까지 바
래다주고 돌아서서 오는데 하늘은 파랗고 아파트단지 안의 나무들은
푸르고 싱싱하구나. 네 손길처럼 부드러운 봄바람이 산들산들 불어와
내 얼굴을 부드럽게 어루만져 주고는 저만치 달아나버리지. 가끔 익살
을 부리는 너처럼.

여느 때는 널 보내고 나면 아침 식사를 대충 한단다. 아침 식사는
가장 영양가 있는 걸로 먹어야 한다고 늘 너한테 말하고 있지만 말이
다. 암, 그래야 될 텐데. 그러고는 빨래부터 돌리고 설거지를 하고 바

닥 청소를 하고 모든 집안 청소가 끝나면 그때부터 엄마는 자신만의 시간을 가진단다.

오늘은 집에 돌아와선 바로 지난 주말에 너랑 함께 갔던 서점에서 사 온 책을 읽기 시작했어. 짐 트렐리즈가 쓴 〈낭독수책〉이라는 책이지. 한국어판으로는 〈아이의 두뇌를 깨우는 하루 15분, 책 읽어 주기의 힘〉이란 제목으로 나왔더구나. 엄마는 이 책 소개를 보자마자 너무 맘에 들었고, 보물을 얻은 듯 기뻤단다. 그래서 서점에서 책의 목차부터 읽기 시작했지. 특히 이 책의 후기에는 애들에게 읽어 줄 책들에 대한 간단한 소개와 추천 목록까지 있어서 그야말로 일거양득이었지.

엄마는 책을 좋아했고 또 책을 읽어 주는 것이 애들의 성장에도 아주 유익하다고는 생각하고 있었지만 구체적으로 어떻게 좋은지에 대해 설명하려면 막막했는데, 이 책에서는 생생한 일화와 수많은 연구결과의 사례를 들어서 독서의 의의와 그 심원한 영향에 대해 해석을 해 놓았더구나. 그리고 독서 과정에서 부딪히게 되는 문제점 및 해결 방안까지 일일이 소개를 해 놓았으니 정말로 좋은 책이었어. 책을 읽어 주는 것이 얼마나 대단하고 위대한지. 위대하다는 표현을 써도 하나도 거창하지가 않다는 걸 엄마는 다시 한 번 느끼게 되었단다.

엄마는 어릴 때 이렇게 아름다운 책들을 못 봐서 그런지 어른이 된 지금에도 너 못지않게 이런 그림책에 애정을 보이곤 한단다. 물론 엄마는 글자가 많은 책을 더 좋아하지. 엄마는 어릴 때 서점이란 게 어떤 곳인지도 모르고 컸단다. 그냥 집에서 굴러다니는 책을 닥치는 대로 다 읽어버렸지. 그래 봤자 기껏 학교에서 주문할 수 있는 〈소년아동〉, 〈꽃동산〉이었어. 그것도 한 달에 한 권, 눈이 빠지게 기다려서 한 달 만에 받아 들면 엄마는 단숨에 다 읽어버렸지. 그리고 나면 또 눈이 빠지라 한 달을 기다려야 했어. 그게 아니면 〈연변여성〉, 〈청년생활〉, 〈장백산〉 등 잡지에 불과했지. 가끔은 어디서 나왔는지는 모르겠지만 〈수호전〉, 〈홍루몽〉, 〈서유기〉 같은 책도 읽을 수 있었고 어쩌다 국어 선생님을 통해 모파상 같은 대가들의 명작을 얻어서 읽기도 했지.

그런 것만으로는 독서에 굶주린 엄마 성엔 전혀 차지 않았단다.

엄마가 고등학교를 다닐 때의 일이었어.

한 번은 일어 선생님이 많이 아프셔서 출근을 못 하신 거야, 그래서 엄마랑 친구들이랑 시내에 있는 선생님 댁으로 병문안을 갔는데 문을 열고 들어서자 눈에 들어온 건 온통 책이었어. 벽의 한 면을 꽉 채운 큰 책장에 책이 가득 꽂혀 있었지. 엄마는 그렇게 큰 책장을 처음 봤어. 그리고 그때부터 엄마에게도 아름다운 꿈이 싹트기 시작했단다. 나중에 엄마도 집이 생기면 다른 건 몰라도 서재만은 꼭 갖추리라고.

그래서 엄마가 좋아하는 책들을 책장에 빼곡히 꽂아 놓겠다고.

그로부터 10년이 지난 지금, 엄마는 그 꿈을 이루었단다.

원래 집 구조는 거실이 두 개짜리였는데, 엄마와 아빠는 제일 큰 거실을 서재로 만들었지. 거실에는 주로 엄마, 아빠의 책이고 너의 책은 네 방에 있는 책장에만 꽂혀 있었단다. 그런데 시간이 흐르면서 엄마는 뭔가가 잘못되어 가고 있는 걸 느꼈어. 잠자기 전에는 네가 항상 책장에서 책을 골라서 읽어 달라고 했지만, 너는 오후 4시 반에 유치원에서 돌아와서 저녁 잠자리에 들기 전 9시까지 거의 대부분의 시간을 거실의 텔레비전 앞에서 보냈지. 그래서 엄마는 거실에다가도 너의 책장을 하나 사들일 '멋진 계획'을 꾸몄단다. 그리고 그날로 IKEA에 가서 책장을 사왔지.

그날 밤에 아빠는 뚝딱거리며 책장을 조립했고 엄마는 너만의 책장을 꾸미기 시작했어. 네가 거실 소파에 앉아 있을 때면 바로 옆에 세워진 책장에 당연히 눈길이 갈 거고, 그러다 보면 넌 거기서 책을 꺼내 들고 읽거나 도화지를 꺼내서 그림을 그리기도 하겠지.

이튿날 아침, 잠에서 깨어난 넌 하루 밤새 나타난 책장을 보고 엄청 좋아했다고 하더구나. 물론 이건 나중에 손 아줌마가 엄마한테 살짝 알려 주었지. 그러면서 넌 그날 아주 멋들어진 말로 너의 기쁜 마음을 표현했다는데 무슨 말이었던가는 참 유감스럽지만 엄마가 잊어버리고 말았네. 그때부터 너는 텔레비전을 보는 시간이 현저하게 줄고 대신 이것저것 손가는 대로 책을 보기 시작했지.

엄마가 좋아하는 유명인인 재클린 케네디와 오프라 윈프리의 이야기를 너에게 꼭 들려 주고 싶구나.

재클린은 지성미와 자신감이 빛나는 여자였어. 온 세상 사람들이 그녀에게 열광했는데, 그것은 단순히 퍼스트레이디라서가 아니라 진정 매력 있는 사람이었기 때문이란다. 그 매력의 힘은 바로 독서가 바탕이 된 거야. 재클린은 책을 무지무지하게 많이 읽은 여자였거든. 재클린의 집엔 책으로 가득 차 있어서 탁자 위와 아래, 소파와 의자 옆에도 책이 무더기로 쌓여 있었단다. 말 그대로 어디에나 책이 있었지. 아파트 전체가 하나의 거대한 서재였고 별장은 도서관 수준이었대. 그처럼 재클린은 독서광이었단다. 어렸을 때부터 책을 절친한 친구로 삼아왔지만, 젊은 시절에는 더욱 독서에 몰입했지. 그러면서 독서에서 얻은 힘으로 세계 각국의 지도자들의 마음을 움직였단다.

오프라 윈프리의 지성도 역시 독서에서 나온 힘이란다. 그녀는 세계적으로 인기 있는 '오프라 윈프리 쇼'를 진행하며 토크쇼의 여왕으로 불리고 있지. 화려한 삶을 살지만 재클린 케네디와는 전혀 다른 어린 시절을 보냈단다. 인종 차별이 심한 미국 남부에서 지독히도 가난한 어린 시절을 보냈지. 뚱뚱하고 못생겼다고 손가락질 받던 아이는 성장하는 내내 혼자 힘겨운 일을 겪어야 했지. 하지만 지금 이 모든 역경을 우뚝 밟고 오늘날 세계에서 가장 성공한 여성 중의 한 사람이 되었단다. 여기까지는 엄마가 전에 이미 알던 사실이었어.

그런데 오늘 짐 트렐리즈의 <낭독수책>을 읽으면서 엄마는 오프라 윈프리가 '북 클럽'을 진행한다는 또 하나의 특별한 사실을 알게 되었지. 윈프리는 "미국이 다시 책을 읽게 하겠다."고 다짐했고 "독서가 내 인생을 바꿨습니다."라고 말했지.

그녀의 말은 아주 영향력이 있어서 많은 사람이 책에 관심을 갖게 되었어. '오프라 윈프리 쇼'가 그처럼 시청자들의 사랑을 받는 것도 결국에는 윈프리의 다방면의 지식이 바탕이 된 것이란다. 엄마는 깊은 감동을 받았어. 사람의 일생에서 독서가 얼마나 중요한지 피부로 느끼게 되었단다.

실은 엄마와 아빠의 만남에도 책이 결정적인 역할을 했지. <사흘만 볼 수 있다면>이라는 헬런 켈러의 책이었어.

엄마와 아빠가 이 넓디넓은 세상에서 우연히 마주친 후의 일이란다. 실은 우연이 아니고 필연적인 만남이라는 것을, 세상에는 우연이란 없다는 사실을 엄마는 요즘에야 알게 되었지. 아빠는 어느 날 엄마와 함께 식사를 하자고 했단다. 그날 저녁 식사, 지금에 와서 돌이켜 보면 그냥 사천요리를 먹었다는 것과 너의 아빠가 땀을 엄청 흘렸다는 것 외에는 기억에 별로 남는 게 없어. 아빠는 지금도 조금만 더운 음식이

나 매운 음식을 드실 때면 땀을 무진장 흘리지 않니. 식사를 마치고 나서 아빠는 차나 한잔하자는 제의를 하셨어. 아마도 엄마가 괜찮은 여자 같아서 더 알고 싶었겠지. 아빤 절대로 아니라며 지금도 딱 잡아떼고 예의상 차 대접이었다고 말하지만 남자들은 가끔 이렇게 엉큼하단다.

  우리는 음식점에서 나와 근처의 찻집에 자리를 잡고 앉았단다. 이런 저런 얘기를 나누다가 책에 대한 얘기가 나왔는데 누가 먼저 책 이름을 말했는지 모르지만 엄마와 아빠는 헬런 켈러의 <사흘만 볼 수 있다면>이라는 책에 대해서 이야기하게 된 거야. 엄마는 그 책을 아빠를 만나기 몇 달 전쯤에 읽었고, 아빠는 아주 오래 전에 읽었다고 했던 것 같아. 자연스럽게 우리의 대화는 그 책을 시작으로 진행이 되었단다.
  엄마는 보지도 듣지도 말하지도 못하는 삼중의 장애를 딛고도 하버드 부속 래디플리퍼 대학을 졸업한 헬렌 켈러의 의지에 깊은 감동을 받았다고 했고, 너의 아빠는 헨렌 켈러도 헬런 켈러지만 그의 가정교사였던 앤 설리번이야말로 정말로 희생을 많이 한 사람이라고 감탄했었지.
  말이 나왔으니 말인데, 이 책은 정말로 너에게도 추천할만한 책이야. 엄마가 누구한테 빌려 줬는지 요즘은 우리 집 책장에서 이 책을 찾아

볼 수 없지만 이 책의 구절 가운데는 이런 좋은 구절도 있었단다.

헬렌, 너도 알겠지만 우린 구름을 만질 수는 없단다. 하지만 비를 만질 수는 있지. 한낮의 무더위에 시달린 대지와 꽃들이 이 단비를 받아 마시고 얼마나 좋아하는지 너도 잘 알잖니? 사랑도 꼭 그렇단다. 손에 잡히지는 않지만 모든 것 위에 부어지는 그 달콤함만은 느낄 수 있지. 사랑이 없다면 행복하지도, 뭘 하고 싶지도 않을 거야.

어제 저녁, 잠자리에 누워서 "엄마, 사랑한다는 건 어떤 감정이야?" 하고 묻던 너의 물음에 이 구절이 답이 되지 않을까?

다시 너의 아빠와의 데이트 이야기로 돌아와서 그렇게 찻집에서 두 시간 남짓 얘기를 끝내고 나서 헤어질 때가 되자 아빠는 정중하게 엄마에게 이런 말을 했어. "괜찮으시다면 댁까지 바래다 드리고 싶습니다." 엄마는 쾌히 승낙했단다. 그건 뭐 별로 큰일날 일도 아니었으니 말이야.

그런데 그날 저녁 아빠는 집으로 돌아간 후에 바로 엄마한테 전화를 했어. "전 당신을 좋아하게 되었습니다. 처음 만난 사람한테 이런 말을 하면 미친놈이라는 소리를 듣게 될지도 모르겠지만, 어쨌거나 전 오늘 이 시각부터 당신을 저의 여자 친구로 생각하고 행동할 겁니다.

당신이 받아들이지 않아도 상관없습니다. 물론 지금 당장 당신 입에서 어떠한 답을 얻으려는 건 아닙니다. 이제부터 저의 행동을 지켜봐 주시고 어느 날 저한테 느낌이 온다면 그때 알려 주십시오."

이상하게도 엄마는 아빠의 서툴기 그지없는 그 표준어를 인내심 있게 거의 40분이나 들어 준 거야. 말도 안 되는 소리였지. 그렇다고 엄마가 아빠한테 호감이 있는 것도 아닌데 말이야. 물론 첫 인상에서 아빠란 사람이 정직하고 예의 바르고 지적이라는 인상을 받았지만 엄마가 좋아하는 그런 스타일은 전혀 아니었거든.

그 후엔 어떻게 되었냐고? 그 후에는 이렇게 발전해서 결혼하고 널 낳고 그랬지.

이제 곧 네가 돌아올 시간이구나. 얼른 주방으로 나가서 점심에 이미 삶아 놓은 고구마로 잽싸게 고구마 빵을 만들어야겠다. 유치원 갔다 오면 항상 배가 고프다고 하잖니.

자아, 오늘 저녁에는 무슨 책을 읽어 줄까?

책 읽 어 주 는 엄 마 ③
⟨너에겐 사랑스러움뿐이란다⟩

비야, 너는 방금 ⟨소피의 걸작⟩을 혼자서 다 읽고 쌔근쌔근 잠이 들었구나. 엄마는 책상 앞에 앉았단다. 이 책은 엄마가 딱 두 번 읽어 주고 세 번째부터는 거의 너 혼자서 읽었지. 이 책의 주인공 거미 소피의 헌신적인 일생 이야기에 깊은 감동을 받았는지, 너는 부쩍 거미에 대한 호기심도 엄청 많아졌지. 엄마를 닮아 거미를 무서워하던 일은 벌써 옛말이 되었네.

오늘은 네 번째로 이 이야기책을 읽는 건데 엄마가 목감기가 낫지 않아서 목이 아프다고 했더니 넌 더 조르지 않고 혼자서 다 읽고 잠들었어. 엄마는 흐뭇한 심정으로 너를 지켜보았단다. 하나는 네가 혼자서 이야기책을 읽을 수 있다는 것에 흐뭇하고, 또 하나는 네가 엄마를 배려할 줄 알 만큼 자랐다는 것이 뿌듯하단다.

요즘 엄마가 너 바이올린 배우는 것 때문에 화를 많이 냈지? 그래, 오늘은 바이올린 레슨에 대해서 너와 이야기를 나누려는데, 그전에 먼저 초콜릿 일화에 대해서 얘기해 볼까?

열이 많아 툭하면 코피를 흘리는 너에게 의사가 먹지 말라고 한 몇 가지 음식이 있어. 그 중의 하나가 네가 제일 좋아하는 초콜릿이야.

어제 정이(너의 사촌 언니)가 놀러 왔기에 엄마는 과자 박스를 하나 꺼냈는데 그 중에는 초콜릿도 들어 있었지. 엄마는 정이에게 아무거나 골라 먹으라 하고는 너한테는 초콜릿이 아닌 다른 과자를 골라 줬어. 그런데 넌 초콜릿을 골라 쥐고는 엄마에게 졸랐단다.

"엄마, 이거 맛있어 보이는데 한 번만 먹게 해 줘."

내가 먹지 말라고 하면 할수록 넌 초콜릿을 손에 꼭 쥐고는 그 무슨 보물이라도 되는 듯 엄마한테 애걸하곤 했단다.

"엄마, 난 초콜릿이 제일 맛있어. 하나만 먹으면 안 돼?" 하고 말이야.

"의사가 먹지 말라고 했잖아. 이것 말고도 맛있는 게 많은데 꼭 먹지 말라는 걸 먹어야겠니?"

너와 한참 신경전을 벌이던 엄마는 갑자기 상관하지 않고 그대로 두는 것이 더 낫다는 말이 언뜻 떠올라서 즉시 실천해 보기로 했지. 엄마는 과자 박스에 있는 과자 중 초콜릿 과자만을 몽땅 골라서 테이블 위에다가 꺼내 놓았지. 그리고는 이렇게 말했어.

"자, 네가 초콜릿이 그렇게 먹고 싶다면 먹어. 한 번에 하나를 먹든 전부 다 먹든, 얼마를 먹든지 엄마는 상관 안 할 거야. 그리고 앞으로도 초콜릿을 먹어도 되는지 안 되는지는 절대로 엄마한테 묻지 마. 네가 판단해. 네가 이 세상 모든 먹을거리 중에서 초콜릿이 제일 맛있다고 생각되어 초콜릿을 먹지 않고는 못 견딘다고 생각되면 아무 때라도 먹어라. 하지만 명심해, 앞으로 절대 초콜릿에 관해서 엄마한테 묻지 말라는 걸."

갑자기 변한 나의 태도에, 그리고 조금은 화난 듯한 말에 넌 놀라서 멍하니 엄마를 쳐다보았지. 엄마는 한껏 부드럽게 말한다고 했는데, 방금 전 너와 실랑이 하던 때의 감정이 좀 들어갔었나 봐. 엄마는 너의 눈을 쳐다보며 다시 말했어. 이번에는 목소리를 정말로, 지금까지의 엄마 생에서 가장 부드럽게 해서 말이다.

"놀라지 마, 엄마는 조금도 화 안 났어. 다만 이젠 너의 나이도 이만큼 되었고 너 혼자 충분히 판단 할 수가 있겠다 싶어서 그러는 거니까 먹고 싶으면 지금 아무거나 골라서 먹든지, 먹기 싫다면 박스에 넣어서 식탁에 올려놓든지 해." 그리고 엄마는 유유히 자리를 떴단다.

그리고 살그머니 널 지켜봤더니 넌 꼼짝 않고 그대로 앉아 있더구나. 그러더니 일어나서 초콜릿을 몽땅 박스에 담아서 식탁에 올려놓았어.

그리고는 엄마 옆으로 와서 말했지.

"엄마, 나 초콜릿 안 먹고 싶어. 진짜야."

"그래? 난 이미 잊어버렸는데. 앞으로는 우리 초콜릿에 대해선 더 얘기하지 않기로 했잖아." 그러면서 엄마는 진짜로 아무 일도 없었던 것처럼 너와 마주앉았단다.

"엄마, 정말이야, 나 이제 초콜릿 절대 안 먹을 거야." 넌 다시 한 번 맹세했지. 넌 조금 풀이 죽어서 앉아 있더니 이내 도화지를 꺼내서 그림을 그리기 시작했지.

그날 저녁에 너의 아빠한테 이 얘기를 했더니 너의 아빠 걱정이 되어서 "어린애가 무슨 자제능력이 있다고……." 하더구나. 나는 이번엔 정말 단단히 마음먹었어. 이 방법이야말로 전의 그 어떤 권유나 강요보다 훨씬 효과를 보고 있음을 절실히 느꼈단다. 그 후에 넌 초콜릿을 다신 찾지 않았어.

바이올린 공부에 지쳐 네가 투정 부렸을 때도 이와 비슷한 일이 벌어졌었지. 엄마가 화를 냈더니 넌 그 시간을 더 힘들어 했지. 엄마는 야단을 치거나 강요해서 될 일이 아니라 네가 하고 싶은 일로 만드는 방법을 고민했단다. 지난 주말 레슨을 받고 돌아오는 길에 엄마는 드디어 기회를 찾았단다. 비록 그날도 너의 집중력은 좀처럼 나아지지 않았지만, 바이올린을 켜는 자세는 좋았었거든. 그래서 엄만 너에게 찬사를 아끼지 않았단다. 진심으로 말이다.

"비야, 오늘 바이올린 켜는 너 모습이 얼마나 아름다운지 몰라. 왜냐하면 오늘 너의 자세가 아주 정확했거든, 그러니까 그 모습이 정말로 무대에도 설 수 있을 만큼 멋있었어. 자세가 바르니까 음도 제대로 나오잖아."

그리고 집에 오자마자 엄마는 기공부记功簿에다가 반듯하게 적었지.

"오늘 비는 바이올린 켜는 자세가 아주 정확해서 너무 아름다웠다." 하고 말이다.

그래서인지 넌 이번 한 주 동안 너의 그 아름다운 자세를 유지하기 위해서 여러 번이나 바이올린 연습을 했지, 물론 박자도 정확하게 말이다. 이것이 엄마의 '아름다운 계략'인 줄을 넌 좀 더 크면 알게 되겠지만.

엄마가 만든 기공부에는 요즈음에 네가 한 좋은 일이 많이 기록되어 있지. 예를 들면, 저녁 엄마를 도와 설거지를 한 일, 수학 숙제를 미루지 않고 완성한 것, 병음 선생님 앞에서 "공융이 배를 사양하다."는 이야기를 정확하게 읽은 것, 유치원에서 그린 배추 그림이 전에 비해 진보한 것 등을 말이야.

사랑스러운 네게서 엄마는 늘 단점만 찾으려 애쓰고 있었던 거야. 단점을 고쳐서 완벽한 사람으로 만들겠다는 엄마의 욕심이었지.

네가 유치원 대반에 입학한 후 너의 담임 선생님이 가정 방문 오셨을 때도 그랬어.

"비는 똑똑하고 개성도 있고 활발해요. 유치원에 가면 다들 비를 좋아하죠."

너에 대한 선생님의 평가를 들으며 엄마는 불만스러웠었지.

"아니, 뭐 좀 더 고쳐야 할 부분이라도……."

"아뇨, 진짜 훌륭한 애입니다."

나는 네가 고칠 점이라던가, 더 가르쳐야 할 게 무엇인가만 신경 쓰고 있었는데, 선생님은 그런 엄마에게 이런 말씀을 하셨단다.

"따님한테 이렇게 좋은 점이 많은데 왜 단점만 찾으려고 하세요?"

그래. 엄만 정말 중요한 걸 놓치고 있었던 거야.

보름달처럼 환하게 빛나는 너의 좋은 점은 잊고, 반딧불처럼 미약한 너의 단점을 붙들고 어떻게 하면 더 밝아질까 하고 걱정하고 있었으니. 이제 엄만 쓸데없는 걱정 따윈 저기 구만 팔천 리 상공으로 날려 보내고 말았단다. 그리고 엄마는 알았단다. 마음에 미움이 있는 사람이야만 남을 미워할 수 있다고. 너의 마음속에는 미움이 없고 사랑뿐인데 어떻게 남을 미워하겠니?

하루하루 성장해 가는 널 보면서 엄마는 오늘도 기도한단다. 네가 하루하루 더 사랑스러운 사람이 되라고. 매일매일 너에게서 새로운 장점을 발견하리라고. 넌 언제나 사랑스러운 엄마, 아빠의 딸이니까.

내가 좋아하는 작가

　　내가 좋아하는 작가는 너무 많아 헤아릴 수 없다. 또 그 작가 각각
의 개성을 사랑하므로 우열을 가릴 수도 없다.

　　무라카미 하루키의 작품에는 그의 폭넓은 독서와 취미가 반영되어
있다. 그의 글이 장르와 세계의 경계를 넘나드는 동안, 나 또한 그 음
악을 듣고, 그 책을 읽고, 그 사람을 만나는 기분이 든다. 또 에쿠니
가오리의 세련된 문체와, 김훈의 간결하고 힘 있는 언어, 성석제의 해박
한 지식과 풍자, 유머, 은희경의 치밀함, 공지영의 내숭떨지 않는 문장
을 나는 좋아한다. 내가 쓰고 싶은 그런 문장을 구사하는 모든 작가
들을 나는 전부 존경하고 좋아한다. 그런데 제일 좋아하는 작가를 꼽
으라면 대만 작가 '삼모'와 '룽잉타이'다. 나는 삼모의 자유로운 영
혼을 좋아한다.

삼모는 작고한 여류 작가다. 작고한 지 이젠 이십여 년이 지났지만 아직도 그녀의 책은 많은 젊은이들에게 사랑받는다. 그녀의 책은 늘 신비로움과 모험으로 가득 차 있고 진정성이 느껴진다. 그녀는 '첨밀밀'을 부른 가수 등려군처럼 오래오래 사람들의 가슴 속에 자리 잡고 있다. 그녀의 글은 지금 읽어 봐도 전혀 세월의 흔적이 느껴지지 않는다. 오히려 읽을수록 더욱 순수하고 열정으로 차고 넘친다. 그녀는 너무나 해맑아서 가끔은 엽기적으로 느껴지기도 하지만, 사랑에 대해선 지고지순하다.

  '사람의 수명은 길거나 짧고가 중요한 게 아니라 통쾌하게 살았는지가 중요하다.'
  '나는 공기처럼 자유로운 사람이다. 내 마음의 자유를 방해할 때면 절대로 타협하지 않겠다.'
  '학교는 안 다녀도 되지만 책은 읽지 않으면 안 된다.'
  '나는 드디어 알았다. 나의 생명이 내가 사랑하는 사람의 눈에는 얼마나 중요한지를……. 나의 사랑이 얼마만큼 길면 그리움과 미련도 얼마나 긴지를.'
  '긴긴밤에 그리움은 천만마리의 개미처럼 나의 몸뚱아리를 씹었다.'
  '인간이 비통해하는 건 우리가 세월을 붙잡을 수가 없기 때문이고

마주할 수 없는 것은 어느 날엔가 청춘이 이렇게 사라지기 때문이다.'

그녀의 글을 읽을 때면 난 소녀시절로 되돌아간다. 마음이 더없이 깨끗해지고 애잔해지고 통쾌해지기도 한다. 그녀의 글은 내게 치유의 글이다.

다른 한 작가인 룽잉타이는 우연히 작품 〈목송目送〉, 한국어 번역본 제목은 〈눈으로 하는 작별〉이란 책을 접하게 되면서 알게 되었다. 타이완의 문화부장관이며 학자이자 교수인 그녀의 글에서는 학자다운 지성이 넘친다. 그녀의 글은 깊이가 있다. 뭔가 사고하게 하고 내 인생의 갖가지 의문에 대해서 정확하게 대답해 주는 길잡이서다. 그녀는 만나지는 못했지만 내 인생의 멘토다.

〈눈으로 하는 작별〉에서 그녀는 이렇게 말한다.

'나는 천천히 알게 되었다. 부모와 자식의 인연이라는 건 다만 일생 동안 끊임없이 눈으로 그들의 뒷모습이 멀어지는 것을 바라보는 것이다. 당신은 길의 이 쪽 끝에 서서 그가 점차 길의 저 쪽 끝으로 굽어드는 것을 보고 있다. 그리고 그는 뒷모습으로 당신에게 알려준다. 쫓아올 필요가 없다고.'

제일 좋아하는 그녀의 작품은 물론 〈친애하는 안드레아스〉다. 그 전의 책들은 지성이 번뜩이는 그의 날카로운 주장이나 지적, 견해에 반해서 읽었다면, 〈친애하는 안드레아스〉는 학자의 타이틀을 벗은 평범한 엄마로서의 아들에 대한 애틋한 감정이 나타난다. 태어난 곳도 다르고 국적도, 자란 곳도 너무나 다른 서른 살 차이가 나는 엄마와 아들이 주고받은 편지이다. 나는 엄마로서 충분히 공감이 갔다. 책 속에서 엄마는 서서히 아들을 놓아 주는 방법을 깨닫고 있었다.

안드레아스에게:

어제 너는 이렇게 말했지. "엄마, 당신이 저한테 말하는 어투나 방식은 아직도 저를 열네 살의 소년으로 보고 있어요. 당신은 스물한 살의 성인이 된 저를 전혀 이해하지 못하고 계셔요. 당신은 저에게 충분한 자유를 주셨어요. 그래요, 하지만 그거 아시나요? 당신은 한편으론 주시면서 한편으론 그게 당신이 '권리를 양도 받았다 '거나 '베푼다 '는 식으로 여기죠. 당신은 그것이 제가 원래부터 갖고 있는 타고난 권리라고 여기지 않아요. 그래요, 이게 바로 당신의 마음가짐이에요. 다시 말해서, 당신은 오늘까지도 당신의 아들은 당신의 아들이 아니라, 그는 완전히 당신으로부터 독립된 '남 '이라는 걸 이해 못하시죠!"
안드레아스, 그 순간은 마치도 클래식 영화의 전형적인 화면 같았다.

아들 배역을 맡은 사람은 추호의 미련 없이 엄마에게 독립선언을 하고, 엄마 역을 맡은 사람은 분노에 온몸을 부들부들 떨거나 "퍽"하고 아들의 뺨을 올려붙이지. 아들은 얼굴에 망연자실한 표정을 짓고는 분노해서 문을 박차고 나가. 혹은 엄마가 망연자실해 있다가 소리 없이 눈물을 흘리지. 원래는 위엄이 넘친 엄마가 삽시에 무너져서 처량하게 울고 있어.

나도 이런 현실에 대처할 방법이 없구나. 안드레아스, 비유를 하자면 마치도 네가 백사장에 있는데 갑자기 하늘만큼 높은 파도가 밀려와서 눈을 뻔히 뜨고 그걸 보면서도 너는 실은 어디로 피해야 할지를 몰라. 어차피 기어가든 누워있든 파도에 휩쓸려버리게 될 거니까.

네가 모르고 있는 건, 너의 독립선언이, 미국이 영국에 대한 독립선언처럼 그것은 물론 같은 문화내부의 격투야, 너의 독립선언은-웬일인진 모르겠지만 난 이렇게 말도 안 되는 비유가 떠오르는 구나-알제리아가 프랑스에 대한 독립선언, 쿠바가 스페인에 대한 도전, 간디가 영국에 대해 "NO"하는 것처럼 느껴져.

나는 이 책을 읽고 나서 친구에게 소개해 주었다. 그 친구는 "그 여자는 엄마로서 완전 실패했구나." 하고 한 마디로 결론을 냈지만 이것은 너무 섣부른 결론이고 이해가 부족한 결론이다. 이 책에서 룽잉타이는 부단히 아들을 알아가고 아들을 자신의 소유물이 아니라 인생에서 만난 반가운 동료로, 존중하는 법을 배워나가고 있었다. 모든 것을 다 아는 부모 입장이 아니라, 그녀 자신도 아들과의 관계를 통해 아들의 세상을 배우고 있는 것이다.

자식을 키워 본 부모들은 다 알겠지만 자기 마음대로 되지 않는 게 자식이다. 룽잉타이도 마찬가지다. 그녀의 친구 자녀들은 다들 출세하여 잘 살고 있었다. 세속의 눈으로 볼 때는 그랬다. 그러나 옆에 하버드대, 예일대에 다니는 사람들이 수두룩해도 그녀의 아들 안드레아스는 평범함을 선택하겠다고 했고 그녀는 아들의 선택을 존중했다. 그녀는 아들의 행복은 유명해지는 것이 아니라 즐거운 인생을 사는 것에 있다는 현명한 판단을 했기 때문이다. 이것은 결코 쉽지 않다. 부모들이 덕지덕지 붙은 욕심을 다 버리고 아들의 선택을 존중한다는 것은 엄청난 용기가 필요한 일이다. 그녀의 글을 보며 나는 자식을 잘 키우고, 또 잘 놓아주는 법을 배웠다. 오랫동안 타지에서 떠돌아야 했던 룽잉타이의 글을 읽으면 문면의 뒤에 그녀가 울고 있을 거라는 생각을 하곤 했다. 그녀에게 아이는 위안을 주는 소중한 존재였을 것이다. 떠도는 존재를 세상에 붙어 있게 한 유일한 이유였을지도 모른다. 그러나 룽잉타이는 내게, 세상에, 아이에게 성숙하고 훌륭한 태도를 보여주었다. 그녀는 나의 정신적인 뿌리나 다름없다.

독서로 맺어진 인연

　독서의 진수는 역시 토론이다. 나는 혼자 독서를 하면서 늘 토론의 아쉬움을 느끼고 있었는데, 하루는 한 친구가 독서모임에 가입하지 않겠냐고 물었다. 나는 그러겠다고 흔쾌히 대답을 했다. 그래서 시작한 것이 길현정 씨가 운영하는 삼수학당독서모임이었다.

　삼수학당에서는 SNS에 그룹을 만들어서 온라인이나 오프라인 토론을 벌이는 형식으로 독서토론을 진행하고 있었다. 처음에는 매주 하나의 정해진 주제를 가지고 글을 써서 각자가 쓴 글을 발표한 후 토론을 하는 형식이었다. 매달 그 달의 선정 책을 읽고 토론도 하기로 했다. 나는 원래 글쓰기에 흥취가 있었으므로 주제가 뭐든 간에 정해진 날짜에 글을 썼다. 그런데 일요일 오후에 하다 보니 참석하는 인원이 들쭉날쭉했다. 또 대부분은 회원리스트에 이름은 올라가 있었으나 글쓰기가 두렵다는 것 때문에 아예 참석을 안 하고 있었다. 가끔은 참석 인원이 세 명, 네 명일 때도 있었다. 나는 상하이에 있는 한 무조건 참석했다. 새로운 회원이 가입하고 원래의 회원이 빠져나가는 물갈이가 한동안 진행되다가 이제는 안정이 되었다.

요즘은 독서토론에만 머물러있지 않고 훨씬 다양한 형태로 진행된다.

우리는 시간을 잘 활용하여 독서할 수 있는 방법을 고안하다가 아침 여섯시부터 일어나서 책을 읽기로 했다. 자기가 읽는 책의 제목과 페이지수를 독서모임에 알리고 반 시간 혹은 한 시간씩 독서를 했다. 그렇게 서로를 감독하며 독서를 하는 방법도 한동안 진행이 되었다가 올해 5월부턴 토요일 오전 일곱 시 반에서 아홉 시 반 사이에 다 같이 모여 오프라인으로 시작했다.

그동안 나는 열정적으로 활약해서 독서회에서 부회장 직임까지 맡게 되었다. 우리는 독서회의 취지를 살려 회칙을 만들고 독서 목록도 정했다. 그 외에도 다양한 활동으로 회원들의 생활을 더욱 풍요롭게 하자는 취지 아래 10분 스피치와 책 발표 과정을 만들었다. 또 매주 이슈로 떠오르는 시사 두 개 정도를 가지고 거기에 대한 각자의 의견을 발표하기도 했다. 매 주마다 두 사람씩 정해서, 한 사람은 자기가 읽은 책의 독후감을 발표하고 질문을 제기하면 여럿이서 토론하는 방식으로 했고 또 다른 사람은 10분 스피치를 임의의 주제로 자유자재로 강언을 하게 했다. 그 과정은 우리 서로에게 개개인의 독서 성향과 취미 생활도 알게 해 주었다. 책 발표는 <말하는 법 1%로만 바꿔도 인생이 달라진다> 등 자기계발서 위주였지만 각자의 취향에 따라 <당신이 모르는 오사마 빈 라덴>이라던가 <증국번 전기> 등 인물에 대한 책도 있어 여러 분야의 지식까지 다룬다는 좋은 점이 있었다. 10분 스피치는 여러 사람 앞에서 주눅 들지 않고 말하는 힘을 키워 주는 셈이 되었다. 그 동안의 강연 주제를 보면 와인, 여행, 한글 창제, 영향력, 낭만의 도시 파리 등 참으로 다양하다.

여기서 독서모임에 참석하는 우리 사랑스러운 회원들에 대해서 자랑하지 않고는 넘어갈 수가 없다.

한 마디씩 툭툭 내뱉는 말이 그 자체로 명언이 되는 린다 씨, 김미경 같은 강사의 꿈을 꾸는 혜영 씨는 아무 주제라도 뚝딱 손쉽게 강연 콘텐츠를 만들어 내는 재주를 가졌다. 조곤조곤 말하면서도 자신의 또렷한 논리를 설명하는 향란 씨는 상하이에 거주하는 한국인들을 상대로 중국어를 가르치는데, 인내심 있게 남의 말을 경청하며 청소년들의 심리 상담자가 되어 주기도 한다. 그리고 실행력 넘버원인 우리 독서모임의 회장 길현정 씨까지, 모두가 열정의 아이콘이다.

그 중에서 가장 많이 변한 사람은 아마도 자타가 공인하는 희연 씨일 것이다. 처음 우리 독서모임에 나왔을 때의 희연 씨는 말수도 적고 까칠한 인상을 주었다. 실제로 그녀는 반복되는 일상에 지루함을 느끼고 자존감을 찾지 못한 상황에 처해있었다고 한다.

그러나 우리 독서모임에 몇 번 참석하면서 그녀는 놀랍게 변했다. 독서에 대한 열정이 활화산처럼 폭발하면서 책방에 가면 모든 책을 다 사보고 싶을 정도로 그녀는 지적 욕구에 불타는 사람으로 변했다. 그뿐이 아니다. 지난주 독서모임에서 그녀가 책 발표를 하게 되었는데 발표 자료를 정리하기 위해 그녀는 책을 반복적으로 정독했고 주위의 친구들에게 책 발표에 대해서 상담까지 받을 정도였다. 게다가 친구에게서 파워포인트 양식을 받아 보고 마음에 들지 않아서 파워포인트에 대한 책까지 한 권 사서 마스터를 했다. 또 파워포인트를 만든 후에도 자신이 발표할 책 내용에 대해서 여러 가지 버전으로 원고를 작성했다. 그녀는 시간만 나면 연습을 했다고 한다. 지하철 안에서, 옥상에서. 그런 노력이 헛될 리 없었다. 그날 그녀의 책 발표는 기대 이상으로 완벽했으며 그녀의 열정의 에너지가 회원들 전부에게 그대로 전해졌다.

그녀는 이번 책 발표를 통해 목표를 정해 책을 읽는 방법을 터득하고 독서하는 방법을 제대로 배웠다고 했다. 이것은 독서모임을 통해 회원들이 자존감을 찾고 더 나은 삶을 지향하는 계기가 된 예다.

독서모임에 나가다 보니 자연히 독서를 더 하게 되었는데, 이것은 브레인스토밍을 통해 독서를 더욱 폭넓게 하다 보니 사고가 확장된 결과인 것 같다. 오프라인 모임이 아니더라도 회원들이 그룹에서 서로 자기가 읽은 책을 공유하고 좋은 글귀, 좋은 정보를 공유하며 지식을 넓혀가고 있다.

책 이야기를 하면 늘 즐겁고 풍요로워진다. 그러니 독서로 이루어진 만남은 순수할 수밖에 없다. 독서토론을 통해 맺은 좋은 인연은 또 다른 인연으로 이어진다. 회원들 중 마음이 맞는 사람들끼리는 서로 가까운 친구가 되어서 나는 독서모임에 가입한 회원 김혜영 씨가 운영하는 화이트칼라동호회에 가입하라는 제안을 받았다.

화이트칼라동호회는 마치 회사에서 직원 면접을 보듯이 면접 절차를 거쳤는데, 인생의 목표와 꿈이 있는 사람들로만 엄격하게 뽑아 끝까지 함께 가기 위해서라고 했다. 화이트칼라동호회의 제1기 모임이 이루어졌던 올해 1월에 나는 꿈나무에 사인을 했고(나로서는 처음으로 공식 석상에서 작가로 되겠다고 발표한 셈이었다) 우리는 매달 하나의 주제를 가지고 활동을 하면서 정기적으로 꿈 리스트를 점검하고 피드백을 주고받았다. 내 주변에 내 꿈을 응원해 주는 친구들이 많다는 건 참으로 힘이 된다. 작가가 되겠다고 공표를 한 후 나는 작가로 불렸고(쑥스럽다고 아직은 아니라고 했지만 주위에서 다들 그렇게 불러 줬다), 드디어 8월 말에 책을 쓰기로 결심했다.

불교에서는 옷깃만 스쳐도 인연이라고 한다. 나는 모든 인연은 소중하다고 믿고 있다. 그게 설사 악연이라고 해도 한 사람과의 인연으로 끝나지 않고 그 사람은 수많은 내 인생의 인연에서 연결고리 역할을 해준 셈이 된다.

특히 독서로 맺어진 인연은 더욱 소중하다. 공동의 애호를 가졌다는 면에서 우리는 코드가 맞다. 앞에서도 말했지만 남편과의 인연도 독서로 인해서 더욱 가까워졌고 책을 읽는 남자라는 인상에 남편이 더 지적으로 보였던 것도 사실이다. 남편은 독서광은 아니지만 집에 있을 때면 종종 책을 읽는다. 출장 다닐 때도 책은 한두 권씩 늘 챙겨서 간다.

가끔씩 우리 세 식구가 커피숍에라도 가게 되면 각자 자기가 좋아하는 책을 꺼내 들고 골똘히 독서 삼매경에 빠진다. 그럴 때면 역시 독서로 인해 맺어진 인연에 감사하게 된다.

독서의 즐거움

여행이 나의 동적인 삶의 형태라면, 책 읽기는 나의 정적인 삶의 형태다. 나는 두 날개를 단 새처럼 양편의 도움을 얻어 활동한다. 황산곡은 "3일을 책을 읽지 않으면 스스로 깨달은 어언語言이 무미하고, 거울에 비친 자기 얼굴을 바라보기가 또한 가증하다."고 말했다. 이것이 진정한 책을 읽는 목표가 아닐까. 내 일부로 만드는 것. 내가 그 일부가 되는 것.

왜 책을 읽는가. 어떻게 책을 읽는가. 독서모임에서도 자주 듣는 질문이다. 많은 사람들이 지식을 얻기 위해 혹은 지혜를 쌓기 위해서라고 대답할지도 모르지만 그런 목표를 가지고 책을 읽으면 독서가 즐겁지가 않다. 책을 읽는 묘미를 알아내는 게 중요하다. 그것은 똑같은 음식을 먹지만 어떤 사람에겐 음식이 입에 맞고 어떤 사람은 너무 맛이 없어서 얼굴을 찌푸리는 것과 같다.

독서는 장소나 공간, 시간에 구애받지 않고 할 수 있는 가장 싸면서
도 사치스러운 취미 활동이다. 말을 타려면 말과 승마장이 필요하고
헬멧이며 보호대 등 부대시설과 소품이 필요하지만 독서는 아무데서나
손에 쥐이는 대로 책을 들고 할 수 있다.

독서의 즐거움은 자기가 좋아하는 책을 찾는 과정에서도 얻을 수
있다. 그것은 어떤 특정된 작가의 책일 수도 있고 여러 작가의 것일 수
도 있다. 책을 찾았다면, 그 책들과 연애에 빠지는 것이다. 연애를 하면
그 사람을 속속들이 알고 싶은 것처럼, 자기가 좋아하는 책을 사랑한
다면 정신적인 공감대가 형성되어 책을 훨씬 잘 소화하게 되는 것이다.

나는 한 번에 여러 권의 책을 읽기를 좋아한다. 밤에 잠자리에 들기
전에는 장편 소설을 읽는다. 자정에서 새벽으로 넘어가는 시간에는 세
상이 조용하다. 이럴 때는 고도로 정신이 집중되어 호흡이 긴 장편 소
설을 읽으면 맥락을 놓치지 않고 쉽게 읽힌다. 낮에 잠깐씩 이동할 때
라면 단편 소설이나 에세이가 좋겠다. 감상을 불러일으킬 책이 필요하
다면 시집을 읽어도 좋다. 나는 기분 전환이 필요할 때면 이해인 수녀
의 시집을 꺼내들고 읽다가 어떤 시는 소리 내어 읽어 보기도 한다.

책속에서 이런 시를 한 수 찾아서 읽는다면 스트레스가 금방 풀린
다.

빨래를 하십시오

우울한 날은 빨래를 하십시오
맑은 물이 소리내며 튕겨오르는
노래를 들으면
마음이 밝아진답니다

애인이 그리운 날은
빨래를 하십시오
물속에 흔들리는
그의 얼굴이
자꾸만 웃을 거예요

기도하기 힘든 날은
빨래를 하십시오
몇 차례 빨래를 헹구어내는
기다림의 순간을 사랑하다 보면
저절로 기도가 된 답니다

누구를 용서하기 힘든 날은
빨래를 하십시오
비누가 부서지며 풍기는
향기를 맡으며
마음은 문득 넓어지고
그래서 행복할거예요

가끔은 책을 읽고 나서 넘치는 흥분을 주체하지 못하여 즉시 글을 쓰기도 한다. 한 번은 신경숙의 <엄마를 부탁해>를 읽고 단숨에 나의 엄마에 대해 몇 천 자에 달하는 문장을 쓰기도 했고 공지영의 <사랑 후에 오는 것들>이란 책을 읽고 평론 비슷한 독후감을 쓰기도 했다. A. 조월이 <보스턴의 신>에서 이렇게 말했다. "책은 책 이상이다. 책은 생명이다. 지난 시절의 심장과 핵심이요, 인간이 왜 살고, 일하고, 죽었는가의 이유이며, 생애의 본질과 정수이다." 나는 독서가 나의 삶에 접근하는 하나의 방식이라 생각한다. 사는 맛을 느낄 수 있는 절묘한 방법은 단지 손을 뻗어 글자를 읽기만 하면 되는 것이다. 그러나 거기서 얻는 흥분과 사랑은 진정 인생의 본질과 정수다. 그러니 어찌 책을 읽지 않을 수 있겠는가!

서른
른
아
홉,
다시 봄

상하이를 읽다

내가 지금 상하이에 있는 이유

차도녀-상하이 처녀들

중국어에는 '일방수토양일방인一方水土養一方人'이라는 말이 있다. 한국의 '신토불이'라는 단어와 비슷한 맥락으로 '사람은 나고 자란 지역의 영향을 많이 받는다.'는 뜻이다. 상하이에는 미녀들도 많고 재주가 많은 여자들도 많다. 백여 년 전, 20세기 이삼십 년대로 거슬러 올라가면 중국은 한창 사상혁명의 시기에 처해 있었다. 외국 문화의 영향을 받아서 영화와 음악이 아주 유행이었다. 20세기 이십 년대 상하이는 중국에서 제일 먼저 서양의 풍기風氣를 받으면서 '동방의 파리'로 불렸다. 그래서 그 시기의 중국의 미녀는 대다수가 상하이에 있었다. 상하이 미녀 또한 그 시대 아이콘의 하나로 부상되었다.

그 시대 미모와 지혜를 겸비한 몇몇 상하이 여성의 영향력은 아직까지도 유효하다.

장애령張愛玲, 본명은 장영張瑛이다. 상하이의 공공조계지에서 태어난 그녀는 가세가 혁혁한 집안에서 태어났는데, 조부는 청나라 말기의 이름 있는 신하였고 조모는 조정의 중신重臣인 이홍장李鴻章의 장녀였다. 장애령은 문학에 남다른 재주를 보여, 대량의 문학 작품을 발표했는데 소설, 산문, 시나리오, 문학에 대한 연구 작품 이외에도 그녀의 서신 역시 그녀의 문학 저작의 일부분으로 연구 가치가 높다. 그녀의 작품은 아직도 많은 사람들의 사랑을 받는다. 그녀는 연예인만큼이나 유명했다고 하는데, 파파라치들이 그녀의 사생활을 캐내고자 그녀가 사는 집 주변에 숨어 있다가 그녀가 버리는 쓰레기 속에서 그녀의 생활 습관을 추적해냈다는 일화도 있다. 그녀의 도도한 자태와 개성이 뚜렷한 글재주는 뭇 여성들의 부러움을 자아냈다. 그녀는 상하이를 대표하는 전형적인 여성상이다.

샤멍夏夢은 절세가인이란 별호를 가졌다. 그녀는 중화인민공화국인민정치협상회 의원직을 맡기도 했다. 20세기 오륙십 년대엔 홍콩장성영화기획사의 1호 여배우였으며 홍콩 좌익 영화의 대표 인물이었다. 그녀는 외모가 화려하면서도 요염하지 않고, 오히려 정숙하면서 온화하고 대범했다. 거기에다 늘씬한 키까지 소유한 그녀는 '하나님의 걸작'이나 현대판 서시西施로 불렸다. 홍콩의 무협 소설가 찐융金庸은 '서시가 얼마나 아름다운지는 누구도 보지 못했다. 아마 서시는 샤멍처럼 예뻤기 때문에 명불허전이 되었을 것이다.'라고 평가했다.

린후이인林徽因은 건축 학자이며 작가다. 그녀는 중국의 첫 번째 '재주 있는 여자才女'로 불렸다. 그녀는 남편 양사성梁思成과 함께 현대 과학의 방법으로 중국의 고대 건축을 연구하여 이 학술영역의 개척자가 되었다. 후에 이 방면에서 두드러진 성취를 거둬 중국의 고대 건축 연구에 튼튼한 과학 기초를 닦아 놓았다. 그러면서 문학에서도 특별한 재능을 발휘하였다. 문학을 좀 하는 사람들이라면 누구든지 들어 봤을 '당신은 인간 세상의 4월 하늘你是人間四月天'은 바로 그녀의 시 한 구절이다. 또 그녀의 유명한 저작물로 소설 '구십구도중九十九度中' 등이 있다. 그녀의 일생은 유명하여 웬만한 전기적 일화는 잘 알려져 있다. 그녀의 일생에는 세 명의 남자가 있었다고 한다. 한 명은 남편인 양사성이고, 나머지 두 사람은 유명한 시인 서지모徐志摩와 그녀를 위해 평생을 독신으로 보낸 김악림金岳霖이다.

이외에도 영화배우 호접蝴蝶, 원령옥阮玲玉 등도 상하이 여자의 전형으로 손꼽히는 명문가의 규수들이다. 이렇게 많은 유명한 여성들이 있어서 그런지 상하이 여자라고 하면 모두 고개를 끄덕이고 인정해 주는지도 모르겠다.

상하이에 오면 많은 사람들이 일본어를 잘 구사하는 것을 보게 되는데 상하이 사람들은 일본에 유학을 다녀온 사람들이 많기 때문이다. 일본 음식은 상하이 젊은이들에게 각광 받는다. 20년 전 유명했던 드라마 '베이징 사람이 뉴욕에서'의 속편으로 '상하이 사람이 일본에서'라는 드라마까지 찍을 정도였다. 그들은 상하이 말과 일본 말의 어감이 비슷하다고 말한다. 일본의 영향을 많이 받아서 그런지 상하이 여자들은 특히 정교한 걸 좋아하고 명품을 좋아하며 세련되었다. 된장녀처럼 그녀들은 명품에 집착을 한다. 그녀들은 실속적이고 현실적이다. 이런 면은 식사를 할 때 무조건 AA제를 실행하는 데서도 나타나지만 특히 결혼상대로 남자를 찾을 때 뚜렷이 나타난다. 이것은 상하이 여자들은 능력이 있기 때문이다. 그들은 어릴 때부터 재테크의 중요성을 잘 알고 재테크에 관심이 많다.

요즘의 상하이 여성들도 하얗고 말쑥한 피부에 날씬한 몸매를 자랑한다. 멋진 외모에 화장과 옷도 굉장히 세련되었다. 그녀들에겐 상하이라는 대도시에서 자랐다는 자부심이 굉장하다. 도도한 모습과 자태에서 자부심이 철철 넘친다. 반면 어느 정도의 편견을 배제할 순 없지만 상하이 여자에겐 '허영심이 많다, 자기중심적이다, 게으르다, 짠순이다, 애교가 많다, 집안일을 할 줄 모른다, 군것질을 좋아한다.' 등의 꼬리표가 따라 다니기도 한다.

그러나 상하이 처녀들이 예쁘다는 건 전 중국 사람들에 공인된 바다. 그녀들은 북방의 여자들처럼 거칠지도 않고 광동이나 하이난海南 같은 훨씬 남쪽의 지역 여자들처럼 작달막하지도 않다. 하지만 그녀들의 아름다움은 사실 후천적으로 얻어진 것이며, 그녀들이 외모에 신경 쓰고 자신을 가꾸기 때문이다.

상하이 여자들은 식견이 넓다. 그녀들은 배움을 즐긴다. 어지간한 젊은 여성들은 상하이 말과 만다린, 일본어, 영어를 자유자재로 구사한다. 그녀들은 지식으로 자신을 무장하고 지식을 지혜로 만드는 법을 안다. 그녀들은 자신들이 배운 교양을 바탕으로 더 높은 문화를 즐길 줄 안다. 미술 전시회나 박람회, 영화관에 가면 대부분이 이십 대의 처녀들이다. 그녀들은 미식가이고 군것질을 특히 좋아한다.

그녀들은 개인적으로 요리에 취미가 없는 한, 음식을 만드는 것엔 별로 관심을 보이지 않는다. 어릴 때부터 아빠가 해 주는 밥을 먹고 자랐으니 직접 주방에 들어가는 경우는 극히 드물기 때문이다. 대신 상하이 남자들이 요리를 한다. 딸아이 반급에서 아들 가진 엄마들과 얘기해 보면, 아들들은 어릴 때부터 주방에 들어가서 스스로 음식을 만들기를 좋아한다고 한다. 상하이 여자들은 남자들에게 떠받들려 사는 삶을 당연하게 여기며 살아왔다. 이것은 그녀들의 뼛속까지 침투된 생활 방식이고 하루아침에 이루어진 것이 아니다. 그녀들 나름의 세계관이고 가치관이다.

내가 보기엔 그녀들은 고양이를 닮았다. 사람들의 귀여움을 독차지

하면서 자기 눈에 거슬리면 날카로운 발톱을 치켜세우고 달려들 기세를 감춘 표독스러운 고양이와 애교와 매력이 넘치는 그녀들은 통하는 데가 많다. 실제로도 상하이 여자들은 고양이를 좋아한다.

그녀들은 상하이란 대도시에서 태어나고 자란 '차도녀'이다. 자기중심적이고 조금은 얄밉지만, 자신의 아름다움을 충분히 표현할 줄 알고 자신만의 흔들리지 않은 가치관과 세계관으로 행복을 추구하고 즐길 줄 아는, 똑똑한 여성들이다.

지혜로운 상하이 아줌마

처음 상하이에 왔을 때 나는 상하이 아줌마들이 나이에 비해 하얀 피부를 가졌고 처녀 시절의 날씬한 몸매를 그대로 유지하고 있는 것에 대해 놀랐다. 환경적으로 습윤한 아열대 기후가 그들의 피부를 건조하지 않게 보습 작용을 해 주었기 때문이기도 했지만, 아름다움엔 노력도 필요한 법이다. 그녀들의 날씬한 몸매를 유지하게 하는 비결은 그녀들이 먹는 것에 굉장히 신경 쓰기 때문이었다.

상하이요리는 무치거나 찌는 음식이 꽤 많다. 기름과 소금을 적게 넣고 조미료를 쓰지 않기에 비교적 담백하다. 상하이에는 야채 종류가 특히 많은데 상하이 사람들은 하루 세 끼에 붉은색, 노란색, 푸른색, 흰색, 검정색 야채를 적당히 배합해서 먹고, 육류, 해물도 골고루 먹는다. 그들은 매 끼니 요리의 반찬 종류는 많이 만들되, 양은 적게 한다.

남은 반찬 먹는 걸 싫어하고 끼니마다 신선한 반찬을 선호하기 때문이다. 이런 식단은 날씬한 몸매를 유지하기에도 좋다. 날씬한 사람이 많아서 상하이 사람들은 성인병도 적게 걸리고 수명도 전국에서 가장 길다.

워낙 따지고 아끼는 습관이 몸에 배다보니 상하이 아줌마들은 돈을 아끼기 위해서라면 작은 것도 그냥 지나치는 법이 없다. 세상의 모든 절약법은 상하이 아줌마들의 생활에서 찾아볼 수 있다고 해도 과언이 아니다. 40대, 50대의 상하이 아줌마들은 상하이의 경제 발전이 가장 빠른 시기를 겪어서 그런지 뭐든지 치열함을 보인다.

하지만 수전노처럼 일 전 한 푼 아끼더라도 그들은 생활을 즐길 줄 안다. 국내든, 국외든 여행을 다녀 보면 만나는 중국사람 중에 가장 많이 볼 수 있는 사람들이 바로 상하이 사람들이다. 중국에서는 사천성 사람들이 먹고 놀기 좋아하는 느긋한 생활 방식의 상징으로 본다. 그러나 상하이 사람들은 사천성 사람들에 버금가는, 중국에서 두 번째로 생활을 즐길 줄 아는 사람들일 것이다. 보통 아줌마들끼리 여행을 떠나기도 하지만, 가족 동반의 해외여행도 곧잘 다닌다.

결혼 후에도 상하이 아줌마들은 남편의 사랑을 듬뿍 받으면서 싱글 같은 자유를 만끽한다. 그녀들은 남편이 자신을 위해 모든 걸 헌신하면서도 행복을 느끼게 하는 그녀들만의 비법을 갖고 있다. 그 비장의 무기는 타고난 애교 뿐은 아닐 것이다.

대개 그녀들은 집에서 전업주부로 있기보다는 맞벌이 부부로 일을 한다. 그렇기에 그녀들은 독립적인 경제 능력을 갖고 있고 사회 활동을 통해 자신의 능력을 과시하고 인맥을 쌓아 간다.

1994년 상하이에서는 산업구조조정을 하면서 전통 방직업 업종에 종사하던 아줌마들이 대규모로 밥그릇을 잃게 되었다. 이때 설립된 지 얼마 안 되는 상하이 항공 회사에서는 아주 창의적이라 할 만한 대응을 했는데, 바로 상하이방직공장 직원들 중 결혼한 아줌마를 상대로 스튜어디스를 선발한 것이다. 물론 결과적으로는 2,000여 명의 응시자 중에서 열여덟 명만 뽑았지만 이 일은 그 시대에 일자리를 잃고 다시 취업하기 어려웠던 아줌마들에게 재도전할 수 있는 자신감을 안겨 주었고, 상하이란 이 도시의 집단 기억으로 남아 있다. 한때 아줌마 스튜어디스 '콩사오空嫂'라는 단어는 상하이 사람들이 가장 많이 입에 올리는 핫이슈였다. 그리고 제1기에 스튜어디스에 발탁이 된 행운의 아줌마들은 처녀들과는 차별된 아줌마의 노하우로 승객들의 어려움을 해결해 호평을 받았다. 요즘 상하이의 춘추 항공 회사에서도 아줌마 스튜어디스를 모집하는데 지원 가능한 연령을 45세까지로 해서 나이 든 아줌마들의 열렬한 관심을 받았다는 뉴스가 있었다. 이러고 보면 1994년의 상하이 항공 회사에서 선발된 아줌마 스튜어디스는 지금의 당당한 상하이 아줌마들의 선구자 역할을 한 셈이다.

아줌마들의 성공적인 삶은, 그 아줌마를 보는 아이들과 남편에게까지 긍정적인 영향을 준다. 그래서 사회 전체적으로도 긍정적인 효과를 얻을 수밖에 없다. 자신을 위하는 길이 가족을 위하는 길이고, 또 다른 많은 사람을 위하는 길인 것이다. 상하이 아줌마들은 똑똑하게도 그 것을 잘 알고 있다. 그래서 그들은 즐기는 법을 알고, 또 돈을 모으고 쓰는 법을 안다. 그리고 자신이 개인이 아니라 가족의 대표라는 걸, 그녀들은 결코 잊는 법이 없다.

물론 이 세상 모든 아줌마들처럼 그녀들도 재래시장이나 할인 매장에 가서 빼앗다시피 물건을 구매하기도 하고 줄을 설 때 새치기도 한다. 자기의 주장을 세우기 위해선 몇 시간이고 목에 핏대를 세워 가며 언쟁도 한다. 하지만 그녀들은 지혜롭게 남편을 다루고 자신을 가꾸고 가정을 지켜 가며 자기 계발까지 열심히 하는 이 시대의 지혜로운 아줌마다.

짠돌이 상하이 아퉈

상하이에서는 할머니를 아퉈阿婆라고 부른다. 상하이에서 살면서
제일 먼저 알게 된 사람이 바로 아퉈들이었다. 상하이 아퉈들은 참견하
기를 좋아하기 때문에 내가 굳이 먼저 다가가지 않아도 아퉈들이 먼저
다가온다.

상하이 아퉈들에 대한 첫 인상은 뭐라 해도 한심한 짠돌이라는 것
이다. 처음 상하이에 와서 생활할 때 주방과 화장실은 한 울안에서 공
동으로 쓰는 곳에 살았다. 그런데 집세 외에 물세를 한 달에 2위안을
받는 것이었다. 한국 돈으로 치면 330원이다. 그 돈이 아까워서는 결
코 아니었다. 그렇게 적은 돈을 별도로 받는 것에 정말로 기막힌 짠돌

이라는 생각이 들었다.

　두 번째로 살던 집에서는 주인인 아줘가 사는 집에 북쪽 칸 방을 세들어 살았다. 그런데 밥을 할 때면 주인집 아줘가 늘 잔소리를 했다. 야채를 왜 이렇게 많이 사느냐, 20전어치만 사면되는데, '이건 왜 사냐, 저건 왜 사냐.' 시어머니처럼 잔소리가 심했다. 나는 보통 재래시장에 가면 한 근에 얼마냐고 단가를 물어본 후에 반근을 달라거나 몇 냥을 달라고 해서 사왔다. 그런데 아줘는 그 방법이 틀렸다면서 20전을 야채 장수에게 주고 그 돈 만큼만 사는 게 옳다고 했다. 20전이면 한국 돈으로 32원이었다. 20전어치 산다면 아마 한 줌도 되나마나 할 거였다. 나는 낯이 가려워서라도 차마 그렇게 하진 못했다. 그러면서 밥을 지을 때 가능하면 아줘와 마주치지 않으려고 노력했다.

　상하이 아줘들을 가장 많이 볼 수 있는 곳을 꼽으라면 병원, 은행, 증권 회사 등이다. 퇴직한 아줘들은 주식을 사거나 펀드를 사고파는 재테크에 밝다. 공원도 아줘들을 많이 볼 수 있는 곳이다.

　아침이면 아줘들은 공원으로 나들이를 한다. 태극권을 연마하고 춤을 추기도 하며 운동을 한다. 할아버지들은 공원에서 바둑을 두거나 새집을 들고 나와 공원의 나뭇가지에 걸어 놓고 새들도 자연을 즐기게 한다. 인민광장이나 찡안스靜安寺 공원같은 비교적 이름 있는 공원에 가면 아줘들이 나와서 춤을 추는 모습이 진풍경이다.

또 여름밤에 대형 쇼핑몰 앞의 공터나 집 근처 광장에 백여 명 이상의 아줘들이 나와서 춤을 추는 광경도 가관이다. 제일 앞에는 리더가 한두 명 있다. 길거리 '광장춤'이라는 이름을 가진 이 춤을 추는 연령대는 점점 젊어지고 있어 요즘은 40대 초반의 아줌마들도 적극적으로 참여하고 있다. 운동 삼아 추는 광장춤은 운동도 되고 마음도 건강하게 해 주며 기억력을 제고시키는 장점도 있다고 한다. 혼자 산책하거나 운동을 하는 건 견지하기가 쉽지 않지만 여럿이서 같이 집단으로 춤을 추니 부담도 적고 참여도도 좋아서 부담 없이 즐기며 오랫동안 즐길 수 있다는 좋은 점도 있다. 광장춤에 어울리는 노래는 보통 경쾌한 유행가인데 요즘 들어서는 '작은 사과'란 노래가 대세를 이루어 아줘들 뿐만 아니라 젊은이들, 심지어 초등학생, 유치원 어린이들까지 '작은 사과'란 노래에 맞춰 광장춤을 춘다.

아줘 이야기를 하다가 조금 빗나간 것 같은데 상하이 아줘들은 자식들과 같이 살지 않고 따로 생활한다. 따로 떨어져 살거나 혹은 한 울안에서 따로 살고 밥도 따로 지어 먹는다. 어디까지나 자식들에게 덜 부담을 주려고 하는 것이다.

돈을 아껴야 한다는 철학을 어려서부터 새기며 살아와서 그런지 상하이 아줘들은 나이 들수록 아끼는 경향이 더욱 심해진다. 이삿짐을 정리하다 뭘 버리면 1분도 되지 않아 버린 물건이 사라지는데 이건 공짜를 무지 좋아하는 아줘들이 재빠르게 집어간 것이다.

상하이 아줘의 삶은 노년이 되어도 스스로 당당하게 삶을 꾸려가는 방법 중 하나일 뿐이다. 그들이 늙었다고 해서 그들의 삶까지 늙었다고 보면 곤란하다. 그들이 일궈 온 과거가 지금 현재 우리의 삶보다 더 활기찼을 지도 모르는 것이다. 우리 또한 언젠가는 현재의 삶을 옛말할 때가 오게 마련이니까. 그들의 인생 또한 여느 인생만큼 아름답다. 어쩌면 아줘들은 지금 자신들의 삶도 즐기고 있을지도 모른다.

상하이에 오래 살다 보니 나도 모르게 상하이 아줘들의 짠돌이 정신을 이어받았는지 아버지가 재래시장에 가서 야채를 잔뜩 사올 때마다 잔소리를 하게 된다. 제발 조금씩만 사 오라고, 끼니마다 신선한 재료로 반찬을 만들어 먹자고. 역시 환경은 무서운 것이다.

상하이 명동거리-홍첸루

　상하이에 와본 한국인들이라면 적어도 한 번쯤은 홍첸루에 대해서 들어 봤을 것이다. 홍첸루 부근의 아파트단지들에 한국인이 늘어나면서 언젠가부터 홍첸루는 상하이 한인 타운으로 부상했다. 별로 길지도 않은 거리의 양쪽, 서울 프라자 건물을 중심으로 해서 한국 상점과 가게들이 오밀조밀하게 들어앉았다.

　명동칼국수, 춘천닭갈비, 죽이야기, 불로만치킨, 소공동두부찌개. 한정식의 대표인 메밀꽃필무렵, 다소반, 훈제 오리 고기 요리가 주 메뉴인 옛골토성, 수원왕갈비, 마포옥 등 음식점 외에도 파리바게트, 뚜레쥬르, 망고식스, 초이스, 카카오카페, 카페베네 등 한국 베이커리와 커피숍이 인기다. 스타벅스는 한국 커피숍의 인기에 밀려 결국은 탈퇴를 했다. 상하이의 다른 지역에선 굉장한 인기를 끌고 있는 커피빈도 홍첸루에서는 한국식의 커피숍과는 비교의 상대가 안 된다. 사람들은 한국 커피숍의 아늑하고 아기자기한 분위기를 좋아한다. 1004마트와 1001 안경점도 인기가 좋다.

서울 프라자 건물 3층에 있는 모닝글로리 문구점은 문구의 천국이라 할 만큼 다양한 물건으로 학생들의 발길이 끊이지 않게 한다. 이외에도 서울 프라자에는 요가학원, 실내 골프장, 발마사지 가게, 헤어숍, 아트 학원, 옷 가게 등 모든 사람들의 생활에 필요한 시설을 제공한다.

이 동네에선 중국말이 필요 없다. 어디서나 다 한국말이 들려오고 모두가 한국말을 할 줄 안다. 낮에는 쇼핑하러 오는 사람들로, 점심, 저녁이면 식당가로 사람들이 몰려든다. 한때는 고소한 회오리감자가 대박 먹을거리로 히트를 쳤는데 이 거리를 지나다닌 사람치고 안 먹어본 사람이 없을 것이다. 시원한 바람이 불어오기 시작할 무렵이면 밤장수도 어느새 등장해 고소한 볶은 밤과 은행 냄새로 길가는 사람들의 후각을 자극한다.

한국 드라마 '상속자들', '별에서 온 그대'의 영향으로 훙첸루는 더 이상 한인사회만의 훙첸루가 아니라 전 상하이 시민의 훙첸루, 상하이 속의 작은 한국이 되어버렸다. '상속자들'에서 김우빈이 마신 '망고&코코넛' 음료는 유명세를 타고 불티나게 팔렸고 '별그대'의 전지현의 "이런 날에는 치맥이 최곤데" 하는 대사 한 마디에 훙첸루의 치킨 가게마다 수십 명씩 줄을 섰다. 주말에는 더 가관이었다. 치킨이 대세가 됐다. 그 대세에 합류하여 홍첸루의 거의 모든 음식점에서 치킨을 선보였으며, 심지어 커피숍인 카페베네까지 치킨을 팔았으니 정말로 웃지도 울지도 못할 상황이었다. 주말이면 치킨 가게마다 방대한 대오가 큰길까지 기다라니 줄을 서 있는 모습이 오랫동안 지속되었다.

현지인들로 놓고 말하면 굳이 비행기를 타고 한국까지 날아가지 않고서도 홍첸루에만 오면 라면이나 떡볶이, 치킨 정통의 맛을 그대로 맛볼 수 있고 한국 화장품이나 동대문에서 들여오는 것이 대부분인 한국 의류도 구매할 수 있으니 서울에 가서 명동 거리를 구경하는 거나 다름이 없다.

전지현이 환히 웃고 있는 파리바게트와 몇 걸음 떨어진, 김수현이 환하게 웃고 있는 뚜레쥬르 빵집 앞에는 언제라도 김수현, 전지현의 사진을 배경으로 인증샷을 남기는 중국의 젊은이들을 볼 수 있다.

한류의 영향으로 홍첸루 식당 사장님들은 대박을 만났지만 원래 홍첸루에서 식사를 하던 사람들은 점심이나 저녁이면 수도 없이 밀려드는 인파 때문에 더 이상 한적한 식사 공간을 기대할 수 없다.

다만 우리는 이곳에서 세계 속의 한국을 호흡하고, 즐긴다. 문화는 함께 즐기기만 해도 발전한다. 거창하게 자본이 투자되어야 발전하는 것이 아니다. 나도 수많은 문화적 코드를 온몸에 품고 산다. 또한 내 삶 자체가 문화다. 내가 하는 말, 행동, 책을 읽고 쓰는 행위, 내가 만

나는 여러 국적의 사람들, 그 사람들의 삶이 모두 문화다. 결국 문화란 어떻게 잘 살아가는가와 관련되어야 똑똑하게 발전할 수 있는 것이다.

내가 여기에 서서도 한국을 경험할 수 있듯, 상하이는 세계를 읽을 수 있는 도시다. 그건 세계 어느 도시든 마찬가지다. 어디에 있는 것이 중요한 게 아니라 지금 내가 서 있는 곳에서 무엇을 하느냐가 내 정체성을 세우는 일이 된다는 것을 안다. 그래서 나는 내게 다가오는 무엇이건 반갑게 맞이한다.

한국의 명동 거리에 가면 일본인과 중국인이 거리를 메우는 광경과 같은 것일까? 하지만 상하이에 여행을 오거나 출장을 와서 집 생각이 난다면, 홍췐루로 오시라. 한국의 맛으로, 한국의 정으로 당신의 외로움을 충분히 달랠 수 있을 것이다.

메이란과 함께 하는 상하이 문화 여행

상하이라고 하면 상하이의 상징인 동방명주 타워와 옛 건물이 즐비한 와이탄, 하늘을 찌를 듯한 고층 빌딩숲을 떠올릴 것이다. 이것은 가장 흔히 볼 수 있는 상하이의 외적인 모습이다.

상하이를 재대로 알려면 상하이의 번쩍번쩍한 빌딩숲만 보아서는 안된다. 상하이를 알고 싶다면 걸어야 한다. 신천지에서 시작해 상하이의 어머니강으로 불리는 쑤저우하쪽으로 발길을 돌리면 모던한 상하이와 옛 상하이 뒷골목을 모두 돌아볼 수 있다. 현대식 건물과 전통 거주지가 함께 섞여 있는 '부조화 속의 조화'를 발견하고 완전히 다른 두 개의 세계가 공존하는 모습에 놀라움을 금치 못할 것이다.

상하이의 문화는 룽탕弄堂 문화다. 룽탕은 개방 이후에 발전하기 시작한 상하이 주민의 주거 방식으로, 베이징의 후통과 같이 골목이라는 의미를 갖고 있다. 베이징의 전통 주거 양식인 쓰허위앤은 네 면이 높은 담장으로 둘러싸여 폐쇄성과 전통적인 형식을 중시했다면, 룽탕은 길을 따라 옆으로 쭉 늘어서 있으며, 룽탕 안에 있는 가옥이 서로 연결되고 밖을 향해 열려 있는 개방형의 문화 의미를 함축하고 있다(네이버 지식백과 지역/ 국가 참고).

룽탕 입구를 살짝 엿본다면 제일 눈에 띄는 건 집집의 창마다 밖을 향해 길게 뻗어 나온 장대들에 주렁주렁 매달려 있는 빨래들이다. 골목에는 파자마를 입은 아줌마들이나 할머니들이 참대의자에 앉아서 수다를 떨고 있는 모습을 볼 수도 있고 밥그릇을 들고 마실을 나온 사람들도 심심찮게 볼 수 있을 것이다. 처음 상하이에 왔을 때 상하이 사람들이 식사 때가 되면 밥그릇을 들고 모두 룽탕에 나와서 서로 이야기를 나누며 밥을 먹는 모습에 적응이 되지 않아했는데 이것 역시 룽탕 문화의 일부분이다. 파자마를 입고 룽탕에서 돌아다니는 건 더없이 자연스러운 일이다. 상하이 사람들은 대낮에도 파자마를 입고 백화점을 도는 경우도 많으니까. 특히 여름철 저녁 식사를 일찌감치 마친 상하이 사람들은 파자마를 입고 시원한 에어컨 바람이 나오는 백화점을 돌아다니는데 이 현상은 다른 사람들의 눈엔 극히 이상한 풍경이라 어떤 사람은 이런 풍경을 '전 상하이가 거대한 침실'같다는 표현을 쓰기도 했다. 골목 안으로 들어가서 상하이 사람들의 가장 서민적인 생활을 엿보는 것도 여행의 재미가 쏠쏠하지 않을까.

룽탕의 건축 양식은 스쿠먼 건축 양식이다. 대문의 문틀을 대부분 돌로 했기 때문에 스쿠먼石庫門이라고 부른다.

신천지는 스쿠먼을 개조하여 만든 거리다. 원형의 스쿠먼 양식은 그대로 보존했으나 각국의 레스토랑과 바가 즐비하게 들어앉은 이곳은 이미 상하이의 본연의 맛을 잃었다. 중국인들에겐 이국적인 문화 거리로, 외국인들에겐 스쿠먼 문화로 자리 잡은 이곳은 보는 이에 따라 견해가 따르겠지만 진정한 상하이의 맛을 느끼자면 여기서 나와 베이징 뚱로, 씬자로를 걸으며 룽탕을 찾아 들어가야 한다.

스난꿍관思南公館은 상하이의 '새로운 명함'으로 불리는 곳으로 상하이의 중심지대인 형산로, 푸싱로 일대에 자리 잡고 있다. 스난꿍관은 농후한 인문 역사를 갖고 있으며 오랜 세월의 건축 문화는 동양과 서양, 역사와 현대의 조화로움을 증명해 준다. 이곳은 상하이 중심지에 독립적으로 화원 별장이 가장 집중적으로 모여 있는 지역으로 51채의 별장이 있다. 호텔식 아파트, 고품격 호텔, 고급 레스토랑이 있는 이곳은 화이 하이로와 이어진 백 년 클래식 건축, 명인들 작품이 어울려 가장 특색 있는 풍경을 연출한다.

건축에 관심이 없다면 모간산로에 있는 M50 창의원은 꼭 가보라고 추천하고 싶다. 베이징의 798과 쌍벽을 이루는 예술의 전당이라고 할 만큼 예술분위기를 제대로 느낄 수 있는 곳이다. 아직 많이 상업화되지 않아서 한적하고 입장료도 없다. 이곳을 찾아가기 위한 골목길부터 벽에 그린 그래피티가 눈을 즐겁게 해 준다. 입구 쪽에 들어서면 다양한 전시 안내 포스터와 안내도가 있고 각종 화랑이 길게 뻗어있는데 화랑의 밖에 조용히 앉아서 건물의 한 면이나 물건 하나를 놓고 그림을 그리는 화가들을 볼 수 있다.

화랑에 들어서면 화가들의 세계다. 수많은 아티스트들이 붓이나 정을 들고 작업에 열중하는 모습을 볼 수 있다. 벽에는 수많은 작품들이 걸려 있다. 누군가의 집에 도둑처럼 들어와서 보물을 발견한 듯한 느낌이다. 조용한 분위기라 고양이처럼 조용히 발걸음을 옮기며 벽에 걸려 있는 작품과 화가들이 그리는 작품을 감상한다. 한국으로 치면 삼청동이나 헤이리쯤 되는 분위기와 비슷하다고 들었다.

늘 각종 화가들의 전시회가 열리기에 어느 때 가더라도 멋진 작품을 기대할 수 있다. 이곳의 갤러리는 손님들을 향해 문을 활짝 열어 놓아 부담 없이 들어가서 구경할 수 있다. 소품 하나하나를 구경하려면 반나절은 쉬이 걸릴 것이다. 구경을 마치고 나오면서 입구에 있는 커피숍에 앉아 다리쉼을 하며 커피 한잔 즐길 수도 있는 이곳을, 조금 이색적인 여행을 원하는 분들이라면 무조건 추천하고 싶다.

미지막으로 추천하고 싶은 곳은 템즈타운(Thames Town)이다. 이곳은 시내 중심에선 한참 떨어진 상하이의 서남쪽 쑹장구松江區에 자리 잡고 있다. 지하철 9호선을 타고 쑹장신청 역에서 내리면 되는 이곳은 영국의 템즈타운을 그대로 옮겨 놓은 일종의 테마 마을이다. 이곳에 들어오면 유럽의 전원 마을을 거닐고 있는 듯한 착각에 빠진다. 영국을 대표하는 상징 중에 하나인 빨간 전화 부스, 영국 병사의 전통 복장인 빨간 제복을 입고 있는 경비원들, 한적한 길, 아기자기한 가게들과 예쁜 집, 잘 꾸며진 정원. 북적대는 도심에서 지쳤던 마음이 평온해진다.

마을의 동쪽에는 400무의 넓은 면적을 가진 호수가 있으며 아름다운 유람선 부두도 있다. 마을을 가로지르는 템즈강 근처에는 멋스러운 유럽형 노천카페들이 줄지어 있다. 영국의 고딕식 건축 양식으로 지어진 대성당은 상하이에서 가장 예쁜 대성당으로, 오로지 이 성당을 보기 위해 템즈타운으로 찾아오는 방문객도 적지 않다. 화창한 날이나, 보슬비가 내리는 겨울이나 언제든 성당 밖에서는 웨딩 사진을 찍는 신혼부부들을 볼 수 있다.

이곳의 또 하나의 유명한 곳은 종서각鐘書閣이라는 서점이다. 상하이에서 가장 아름답고 특색 있는 10개 서점 중의 하나로 손꼽히는 이곳은 건축 양식도 대성당처럼 아치형 문으로 되어 있다. 이 건물의 디자이너는 평범한 계단을 개조하여 이곳을 책의 성전으로 만들었다. 책은 책장에만 꽂혀 있지 않고 유리로 된 바닥에도 전부 깔려 있다. 성전의 뒤에는 작은 커피숍이 있는데 커피숍도 전부 책으로 둘러싸여 있다. 이곳에선 바닥에서부터 천정에까지 눈에 보이는 건 전부다 책이다. 모든 벽면이 책으로 둘러싸여 있다. 햇살 따뜻한 오후, 거리를 거닐다 지치면 이곳, 책의 성전에 들어와 조용히 독서 삼매경에 빠져 보는 것도 좋은 선택이다.

마을의 중앙에는 도시계획전시관이 있는데 이곳도 한 번 둘러볼 만하다. 상하이에는 '십년의 상하이를 보려면 포동을 구경하고 백년의 상하이를 보려면 와이탄을 구경하고 천년의 상하이를 보려면 치보우 옛 거리를 보라.'는 말이 있는데 치보우 옛 거리보다 더 오래된 역사를 자랑하는 곳이 쑹쟝이다. 이 도시계획전시관에는 명인들의 작품을 통해 천년 쑹쟝의 어제와 오늘, 내일을 말하고 있다. 가장 시각적인 충격을 주는 것은 14분짜리 3D영화 '쑹쟝-상하이의 뿌리'를 보는 것이다. 쑹쟝의 파란만장한 변화와 문화의 침전을 통해 역사와 시대가 쑹쟝에 부여한 커다란 책임을 말해 주고 있다.

근래에 템즈타운에서는 소호식 창의적 콘텐츠가 모여 '생활을 즐기고, 한가하고, 창의적인' 콘셉트를 추구하고 있다. 여기에서는 세계 각국의 예술 전람을 다 구경할 수 있다. 세계의 저명한 조각 대가의 작품 전시회라든가 국제 뉴스 촬영 시합이라든가, 민속 종이오리기 작품 전시회라든가 서예 작품을 심심찮게 볼 수 있다.

상하이에서는 한곳에서 옛것과 요즘의 것, 서양의 것과 동양의 것, 귀족과 서민의 문화가 혼재되어 있다는 것이 특징이다. 겹겹이 쌓인 흙이 아름다운 지층을 이루는 것처럼 아름답다. 물론 문화가 처음 들어왔을 때는 혼란스러웠겠으나 이 땅의 사람들은 그것을 잘 융화해 가며 자신만의 문화를 꽃피워 냈고, 그것이 곧 상하이 사람의 삶이기도 하다. 지금 내 삶의 맥락을 서 있는 그 자리에서 한 눈에 볼 수 있다는 것은 생각보다 훨씬 멋진 일이다. 그 삶은 아주 오래전부터 이어져 내려온 삶이었으며 앞으로도 유구하게 발전할 가능성을 가지고 있다는 것을, 누구든 상하이에서 느낄 수 있을 것이다.

절대로 포장마차에서 라면 먹지 마라

　12월이면 늘 그렇듯 행사와 술자리가 끝도 없이 이어진다. 오늘은 회사 송년회, 내일은 업체 송년회, 모레는 동창 송년회 매일 저녁마다 바쁘게 쫓아다닌다. 그 중에서도 동창들 송년회는 1, 2차에서 쉬이 헤어질 모임이 아니다. 1차 저녁 식사, 2차 바에서 가볍게 한 잔, 3차 노래방에 가서 투혼을 하듯이 힘차게 노래하고 춤추면 그 동안 축적했던 에너지가 다 빠지고 속이 허전해져 오고야 마는 것이다.

　우리는 인간의 위가 참으로 크다고 감탄하며 그쯤에서 슬슬 포장마차로 발길을 옮겼다. 새벽 한 시에서 두 시 사이. 그 시간 포장마차는 한창이었다. 20여 명은 넉넉히 앉을 수 있는 포장마차 안에는 이미 여러 손님이 자리 잡고 있었다. 양고기 꼬치는 필수고 닭 날개며 닭간구이, 그리고 각종 야채구이가 고소한 냄새로 우리의 후각과 미각을 자극했다. 이쯤이면 술이 깬 남자 동창들은 해장술로 소주와 맥주를 시켜서 소맥을 말았다. 여자들은 양고기 꼬치보다는 야채류를 찾았는데 부추구이, 고추구이, 버섯구이, 그리고 나중에 꼭 먹어야 하는 것이 라면이었다.

우리는 여덟이서 라면 네 개나 다섯 개를 시켜서 각자 일회용 컵에 건져 담아 먹었다. 그냥 보통 먹는 방식대로 신라면에 계란 하나 넣어 끓인 것인데 그 시간에 포장마차에서 먹는 라면은 유별나게 맛있었다. 뜨거운 김이 폴폴 퍼지는 라면을 후후 불면서 젓가락에 감아 입안에 넣으면 여러 음식이 들어차서 울렁거리던 위가 아늑함을 되찾는 순간이 오고 이내 속이 편안해졌다. 중간 중간 얼큰한 국물까지 마시면 맛이 정말로 일품이었고 행복함이 스멀스멀 스며들었다. 그런데 이렇게 허름한 포장마차에서 먹는 라면이 한 그릇에 15위안이나 한다는 거였다. 계산을 할 때면 아니, 뭐가 이렇게 비싸, 하는 말이 저도 모르게 튀어나왔다. 식당처럼 떡이나 파, 콩나물을 넣은 것도 아니고 밑반찬 하나도 안 나오는 포장마차 라면은 비싸도 너무 비싸다. 이상한 것은 이렇게 비싼 포장마차의 그 흔하디흔한 라면이 불쑥불쑥 먹고 싶어질 때가 많다는 것이었다.

라면 맛은 고등학교를 다닐 때 처음 알게 되었다. 저녁 자습이 끝나고 배가 출출할 때 학생 식당에서 별도로 돈을 받고 끓여 주는 라면은 이 세상 그 어떤 산해진미보다도 더 맛있었다. 계란을 하나 풀고 대파를 숭숭 썰어 고춧가루 한 숟가락을 넣어서 펄펄 끓일 때, 국물의 고소한 향과 뜨거운 김은 우리의 마음부터 가득 채웠다. 그걸 먹을 때면 세상이 아름답게 보였다. 넉넉하고 행복했다. 그때 가격으로 라면만 끓이면 50전(한국 돈으로 300원), 계란을 하나 넣으면 20전(120원 정도)이 추가되었다. 그 당시의 경제 수준을 감안하면 비싼 셈이었다. 게다가 학생이었으므로 우리가 그것을 사 먹는 건 사치였다. 마치 고급 레스토랑에 가는 격이었으니까. 하지만 저녁 자습을 마친 뒤에 먹던 라면 맛은 지금 우리에겐 일종의 향수鄕愁로 남아 있다.

겨울에만 먹고 싶은 것이 아니었다. 유난히도 더웠던 2013년의 8월에도 동창 모임 4차로 포장마차를 찾았을 때 그 뜨거운 여름에 땀을 뻘뻘 흘리며 목구멍으로 삼키는 라면 맛을 잊을 수가 없었다.

포장마차의 라면이 맛있는 건 포장마차를 찾는 그 특유한 시간대도 한몫한다. 보통 적어도 3차가 끝나야 포장마차행을 택하는데 어쨌든 자정을 넘은 시간이다. 그 시간에는 어떤 업무 전화도 없다. 온전히 나에게만, 그날 만난 친구들에게만 속하는 시간이다. 어쩌면 우리는 단순히 라면을 먹는 것이 아니라 어깨에 힘을 다 빼고 그냥 인간 대 인간으로 마주 앉아 가장 서민적인 일상의 편안함을 즐기는 것이기 때문이 아닐까? 격식을 차릴 필요 없는 자리에서 맘껏 웃고 떠들며 가장 간단한 재료만 들어간 그 순수하고 심플한 맛을 우리는 갈망하고 있었던 것일지도 모른다.

라면 또한 '추억의 도시락'처럼 누구에게든 추억의 음식으로 자리 잡고 있기 때문인 것은 아닐까?

평소엔 건강에 좋지도 않고 짜기만 한 라면이라 먹지도 않으면서, 그런 밤마다 우리는 포장마차를 찾고 라면을 먹게 되는 것이다. 우리는 라면이 아니라 그 분위기에 중독되어 버린 건지도 모른다. 중독이긴 중독인데 뜨끈하고 얼큰한 중독이다. 늦은 밤에도 우리는 귀가 시간을 조금씩 넘기면서 일탈의 쾌감을 나눈다. 그 어설픈 일탈의 밤, 우리의 주제는 추억 한 그릇이다.

무슨 이야기를 하든 그 시간엔 모두 허용되는 것이다. 누구의 입에서 무슨 말이 나오든 그것은 모두 우리의 과거이고 현재고 때로는 미래다. 단수 아닌 복수로 존재하는 우리는 세상 그 어떤 문제 앞에서도 머리를 맞대 답을 낼 수 있고, 어떤 주제에 대해서도 박식하다. 복수의 입으로 우리는 인생을 논하는 것이다. 아주 사소한, 내일 무엇을 먹으며 언제 일어나는지, 집에 세탁기가 고장 났거나 좀 더 크고 새로운 텔레비전을 사고 싶다는 등 그런 말도 여기서는 아무도 무시하거나 사소하니 그만 말하라거나 하지 않는다. 반면 세계 평화를 말하거나 인류에 대한 이야기나 철학을 말해도 허용된다. 아무리 큰 이야기도 아무리 작은 이야기도 우리가 '우리'인 지금 이 순간이 모두 소중한 언어가 된다.

라면을 나누면서, 우리 마음에 그었던 불안을 살짝 해소하는 재미도 분명 인생사는 맛이다. 기억하시라, 상하이 훙쵄루에서의 4차는 포장마차 라면이 최고임을.

책 읽는 상하이, 책 쓰는 상하이

한곳을 사랑하는 것은 한 사람을 사랑하는 것과 같다. 상하이를 사랑하기까지 나는 참으로 오랜 세월을 겪어야 했다. 내게 상하이는 마치 기나긴 마라톤 연애를 해 왔으나 결혼을 결정하지 못하고 망설이게 하는 남자 같은 그런 존재였다. 요즘에야 정을 붙이게 된 것은 아마도 근래에 활발하게 진행되는 각종 독서모임 때문이 아닌가 싶다.

올 8월에 들어와선 '상하이 저널'에서 주최하는 '책 쓰는 상하이' 저자 초대 강연이 매주 금요일 저녁 일곱 시에서 아홉 시 사이에 열린다. 글쓰기에 대한 노하우를 전수받고 글을 쓸 수 있는 열정을 듬뿍 받을 수 있는 문학의 향연이 펼쳐진다.

그날도 나는 한중인재개발원으로 발걸음을 옮겼다. 그날은 특별히 초대받은 날이었다. 저자 강연은 없지만 한국의 이재규 작가님이 미술 전람회 행사 차 상하이에 오셨고 작가님과 이야기할 수 있는 기회를 <선한 영향력>의 저자이신 박상윤 작가님이 만들어 주신 거다.

하루 종일 설레는 마음으로 보내다가 다섯 시가 가까워 오자 바로 집을 나섰다. 윤 박사님이 벌써 와 계셨다. 윤 박사님은 상하이 교통대학에서 디자인을 가르치시는 한국 교수님이시고 나와는 구면이다. 우리는 이재규 작가님을 기다리는 동안 한·중 문화, 한국과 중국의 대학생들의 사고방식 등에 대해 이야기를 나누었다. 이윽고 박상윤 작가님과 이재규 작가님이 오셨다. 큰 키에 곱슬머리, 쌍까풀진 큰 눈을 가진 이재규 작가님은 연예인 같았다. 인사가 끝나고 우리는 바로 글쓰기로 화제를 돌렸다.

소설을 쓰려면 어떻게 써야 하는지, 어떻게 써야 잘 쓸 수 있는지, 등단 준비는 어떻게 해야 하는지……. 수많은 질문을 생각했지만 정작 작가님을 마주하자 뭐부터 얘기를 해야 할지 두서가 안 잡혔는데, 이 작가님이 자연스럽게 화제를 이끌었다. 어느 작가분의 책을 좋아하냐고 물으셔서 몇몇 작가의 이름을 댔더니 중국 작가의 글은 어떤 걸 읽느냐고 물으셨다. 나는 대만작가 삼모로부터 학자 룽잉타이龍應台, 그리고 요즘 인기 있는 젊은 작가 한한韓寒을 언급했다.

"한한도 자기 주견이 뚜렷하고 아주 개성 있는 작가예요. 하지만 전 룽잉타이 교수님의 글이 훨씬 더 깊이가 있는 것 같아요."

"룽잉타이요?"

"네, 대만의 저명한 교수이고 학자이며 대만 문화부 장관도 지냈어요. 전 남편은 독일 사람이고, 이 분이 쓴 목송目送이란 책이 한국에도 번역 출간이 되었는데요."

이 작가님은 바로 노트북을 켜고 네이버에서 룽잉타이를 쳐서 검색을 하셨다.

"위화余華의 책은 읽어보셨나요? 위츄위余秋雨 그리고 쑤퉁蘇童의 글은요?"

이 작가님이 내게 물어오셨다. 이 작가들의 글은 한국에도 많이 소개되어 있다고 하셨다. 우리는 위화의 '형제'에 대해서 이야기했다. 이 작가님은 중견 작가들의 책을 좋아하시는 것 같았다.

"언제 상하이로 나오셨죠?"

"지금은 무슨 일을 하시나요?"

"전에는 무슨 일을 하셨나요?"

"어떤 소설을 쓰고 싶나요?"

이 작가님은 빠르게 질문을 이어 나갔다.

나 또한 그의 호흡에 맞춰 기억의 물결을 거슬러가며 오랫동안 잊고 지냈던 나의 어린 시절과 십대, 이십 대, 삼십 대를 떠올렸다. 식구 많은 시골의 자그마한 집에서 자라나 늘 공부밖에 모르던 학창 시절, 친구네 집에 고무줄놀이하러 갔다가도 책만 보면 고무줄놀이고 뭐고 전부 뒷전이고 책만 들여다보던 초등학교 시절, 어디서 나왔는지 모르지만 방바닥에 굴러다니는 책이란 책은 다 읽어버렸고 모파상의 '여자의 일생'은 뜻을 다 이해하지 못하면서도 오로지 책을 읽는 즐거움에 밤새워 읽어버렸다. 집에서 구독하는 '흑룡강 신문', '청년생활', '연변여성', '장백산'이 배달될 때를 손꼽아 기다렸고 도착하면 서로 보겠다고 아버지와 다툼을 벌였던 어린 시절, 어렴풋이 문학에 눈을 뜨던 문학소녀 시절, 완전히 망쳐버린 대학입시, 상해 진출기, 굉장히 배타적이던 상해 사람들, 유난히도 비가 많이 내리던 상해의 그해 겨울, 회사일에 완전히 몸을 바친 나의 이십대, 방황하던 삼십대 초반, 그리고 꿈을 찾기까지의 기나긴 번뇌, 다시 시작한 문학 공부……

나는 빠른 호흡으로 이 작가님의 질문에 거침없이 대답을 해 나갔고 중간 중간 북받쳐 오른 감정을 추스르느라 목이 메어, 잠깐 대화가 끊어지기도 했다. 이 작가님은 질문을 하시면서 부지런히 메모를 하셨고 가끔씩 의견을 말씀해 주셨다. 시간이 얼마나 지났을까. 난 마치도 타임머신을 타고 30년 전으로 돌아갔다가 다시 현재로 돌아온 느낌이었다. 우리의 대화는 그렇게 끝이 났다. 작가님에게 단독 인터뷰를 받은 것이다. 그리고 내게 '인생을 쓰는 법'을 이렇게 직접 가르쳐 주신 것이다.

철이 들면서, 문학에 눈을 뜨면서, 아니 더 정확하게는 상하이에 나

와서 타향살이를 하면서부터 생겨났던 의문이 있다면 바로 조선족의
정체는 무엇일까 하는 것이었다. 민족 정체성 문제는 거의 이십 년 동안
나를 곤혹스럽게 만들었고 어디에서 살든 나는 이방인이란 생각이 들
었다. 나는 늘 발 없는 새처럼 어디에 내려서 쉬어야 할 지 몰랐다. 부
모님도 친척들도 계시지 않는 아무런 연고 없는 고향에 대한 향수병이
수시로 도졌다.

그러던 의문의 해답을 듣게 된 건 역시 올해 여름이었다. 나는 한중
일 삼국 비교문화학자이신 김문학 박사님을 만나게 되었고 그 분은
조선족의 특성이 이동하는 민족이고 우리는 21세기의 '신조선족'이라
고 했다. 신조선족은 새로운 집거지에서 '코리안 타운'을 형성하여 소
속감을 만들어 가고 있다. 전쟁터에 비유한다면 꼭 고향이란 후방에서
전투를 하지 않지만 도시로 진출하여 농경 생활에서 벗어나 더 큰 무대
에서 자신의 재능을 펼치며 전방에서 조선족을 알리는 셈이 된다고 했
다. 우리 민족의 언어가 점점 상실된다는 불안감은 항상 내 마음 한
구석에 머물러 있었다. 김 박사님의 의견을 모두 공감하는 것은 아니었
지만, 민족의 정체성이 꼭 언어라기보다는 그 민족의 전통이나 습관을
이어 가는 정신에 있다는 김 박사님의 말에 나는 조금 후련해졌다. 나
의 존재는 세계를 향해 뻗어 나가는 한민족의 진취적 성향의 결과물이
다. 내 심장을 경유하는 혈액은 꿈꾸는 여행자였던 선조를 닮았다. 그
래서 나는 끝없이 꿈을 꾸고 여행한다.

근래 내가 십여 년을 생활해 온 상해에도 조선족 모임이라든가 동호회가 부쩍 늘어나고 있다. 조선족주말학교, 조선족기업인모임, 독서모임, 화이트칼라동호회, 배드민턴동호회, 천지포럼독서회, 상해 후사모, 조선족 대학생 예술절 등이 그 예다. 신조선족으로 살아가는 조선족들이 함께 뭉쳐 타향에서 조선족의 문화와 전통, 언어를 꾸준히 이어 가는 활동이 활발히 벌어지고 있다.

"미란 씨는 아주 특별한 작가가 될 겁니다. 이 시대에 조선족으로 태어나서 또 상하이에 와서 타향살이를 하면서 겪었던 이 모든 것이 미란씨의 재산이 되는 거예요. 조선족의 이주사와 발전사, 그리고 한국과 중국의 관계 이런 것에 대해서 누구보다 더 잘 알고 계시잖아요."

이 작가님은 현재 한국 사회의 작가들과 작품에 대해 간단명료하게 분석해 주셨다. 나와 나의 세대야말로 진정으로 조선민족의 과거와 현재, 미래에 대해 발언권이 있다면서 내게 작가로서의 무한한 가능성을 제시했다. 예를 들면 중국의 문학 작품을 한국말로 번역해서 한국에 알리고 한국의 좋은 작품을 중국에 알리는 것도 내가 충분히 할 수 있는 방법이다. 물론 그것에 앞서 내가 해야 할 일은 우리 민족의 이주사와 발전사에 대한 자료 수집이다.

작가의 꿈을 꾸는 몇 사람의 예비 작가들이 잇달아 도착을 해서 우리는 여덟시가 넘도록 문학에 대한 이야기로 열렬한 토론을 벌이다가 저녁 식사를 하러 갔다. 한 번씩 건배를 할 때마다 한 사람씩 이름을 불러 주면 다른 사람들은 다같이 "삭가다!" 하고 외쳤다. 즉흥시 싯기도 하며 상하이의 금요일 저녁을 불태웠다.

그렇게 외칠 때 우린 이미 작가였다. 상하이에서 글쓰기를 통해 만난 모임은 처음이다. 모두가 작가가 되겠다는 목표를 가지고 만난 자리는 더더욱 처음이다. 상하이에 이런 모임이 있다는 게 너무 기쁘고 행복하다. 꿈은 더불어서 이루는 것이다.

'책 읽는 상하이, 책 쓰는 상하이'는 늘 진행형이다. 내가 원고를 마감하는 지금까지 한국에서 5명의 작가들이 오셔서 글쓰기에 대해, 책 쓰기에 대해, 시에 대해, 소설에 대해 특강을 해 주셨다. 책을 읽고 글을 쓰는 삶을 지향하는 멋진 사람들이 있는 이 곳 상하이, 이제 이 활동은 상하이의 하나의 문화 아이콘으로 부상할 것이다. 당신이 혹시 상하이 훙첸루에서 열정에 불타올라 "나는 작가다."라고 외치는 사람들을 만나면 다가와서 알은 체 해 주시기 바란다. 그 속에는 분명히 나도 있을 테니까.

열정의 아이콘, 상하이 친구들

언제나 역동적인 도시 상하이, 상하이란 도시에 가장 잘 어울리는 단어를 찾으라면 나는 꿈과 열망이라고 하고 싶다. 상하이는 늘 변한다. 제자리에 머물러 있지 않는다. 도도하게 흐르는 황포강처럼 늘 흐른다. 상하이는 '3년에 한 번 작게, 5년에 한 번 크게 바뀐다'는 구호를 내걸고 도시를 건설한다.

상하이의 내 친구들을 보면 모두 열정이라는 단어가 잘 어울리는 친구들이다. 현정 씨는 내가 몸담고 있는 삼수학당독서모임의 회장이다. 그녀가 운영하는 회사는 여행업부터 해서 한중경제발전교류회, 각종 세미나를 주최하는 등 다양한 업무를 하고 있다.

현정 씨는 부지런하다. 발품 파는 걸 아끼지 않고 늘 여기저기 뛰어

다닌다. 그녀는 각종 세미나에 참가하여 부단히 자신을 충전하고 인맥을 쌓는다. 하루 24시간인 것은 남들과 다를 바 없지만 그녀는 48시간으로 활용할 만큼 열정적이다. 언제 봐도 얼굴에 환한 웃음을 짓고 있는 그녀는 늘 긍정의 에너지로 가득 차 있다. 함께 있으면 나도 늘 좋은 기운을 받는다. 현정씨는 뭐든지 말을 하면 바로 실행하는 타입인데, 실행력이 번개처럼 빠르다고 하면 적합할 것이다. 자신의 말을 빌려 표현한다면, 그녀는 뭐든지 질러 보는 성격이란다. 그래서 다른 사람들보다 고생도 많이 하고 어려움도 겪게 되지만 누구보다 영원히 행동하는 선구자 역할을 한다. 그 열정은 상하이를, 우주를 불태울 만큼 활활 타오른다.

화이트칼라동호회를 운영하는 혜영 씨 역시 열정의 아이콘이다. 똑 부러지는 말 한 마디마다 민첩한 사유가 느껴진다. 그녀는 대학생들을 상대로 사회와 회사 생활에 필요한 노하우, 노동법 등을 가르치는 강사이며 컨설팅 회사도 차렸다. 완벽함을 추구하는 그녀는 무슨 일이든 최선을 다한다. 그녀 역시 자신에게 필요한 세미나가 있으면 무조건 달려간다. 왜소한 체구에서 흘러넘치는 에너지는 확실한 꿈이 없고서는 도저히 나올 수 없는 것이다. 그녀 덕분에 나도 화이트칼라동호회에 참가하여 꿈에 대한 열망을 가지고 꿈을 발표하고 꿈을 점검하는 시간을 가질 수 있었다.

신영 씨는 화이트칼라동호회의 멤버다. 이십대 후반인 그녀는 우리

모임의 막내다. 그녀를 처음 봤을 때 나는 환한 아우라를 보았다. 그녀에게서는 좋은 기운이 강하게 넘쳤다. 과연 예상대로, 아니 우리의 예상을 깨고 모임에 참석한지 2개월이 되었을 즈음, 그녀는 자기가 다니던 회계 회사를 사직하고 자신의 회사를 차렸다. 매번 자신감에 차 있는 그녀를 보면 그녀가 참 멋있다. 센스가 좋은 그녀는 모임에서도 늘 적극적으로 일을 하면서 막내의 역할을 충실히 수행하고 있다.

상해 후사모(후대들을 사랑하고 후원하는 모임)의 회장인 경화 씨는 나보다 두 살 연상이다. 독서모임을 통해서 알게 된 그녀는 화끈하고 통쾌하다는 인상을 주었는데, 겪을수록 나와 코드가 잘 통한다. 우리는 SNS에서 처음으로 채팅하던 날 말을 트고 친구하기로 했다. 어쩌다보니 아직까지 한 번도 만난 적이 없지만 SNS를 통해 서로를 알고 가끔 통화도 하며 안부도 전한다. 그녀는 독서광이라고 할 만큼 책을 많이 읽는다. 그녀는 자신이 읽었던 책의 좋은 구절을 SNS에 올리기도 하는데 평균 하루에 두 권은 읽는 것 같다. 이렇게 많이 독서를 할 수 있는 건 그녀가 지하철에서건, 버스에서건, 출장길에서건 자투리 시간을 활용해서 부지런히 독서를 하기 때문이다.

이런 친구들이 있다는 건 참으로 행복한 일이다. 그녀들의 열정은 늘 나에게까지 전해진다. 그녀들과 대화를 하면 나는 무한한 가능성을 경험하게 되고 활력이 넘친다. 우리는 꿈을 이루는 길에서 늘 고무하고 격려하며 함께하는 동반자다.

불빛 영롱한 불야성의 상하이는 오늘도 더 아름다운 미래를 꿈꾼다. 꿈과 열망의 도시에서 우리도 꿈을 꾼다. 3년 뒤, 5년 뒤의 계획을 세우며 꿈을 꾼다. 상하이와 더불어.

epilogue

....

왼손의 고마움

이 책을 본격적으로 쓰기 시작한지 꼭 나흘 만에 나는 말을 타다가
떨어져서 오른손 손목뼈 두 개가 골절되는 부상을 입었다. 정신이 아
찔하고 현기증이 나서 몇 분 동안 누워서 쉬다가 정신이 맑아지는 순
간, 제일 먼저 떠오르는 것은 '어떡하지, 원고를 이제 금방 시작했는
데……. 나머지 글을 어떻게 제시간에 다 쓰지?' 하는 걱정이었다. 오
른손 팔목은 왼손 팔목의 두 배 크기로 퉁퉁 부었고 손목은 물론 손
가락조차 움직일 수 없었다. 병원에 가서 치료받고 깁스를 하고는 처음
이틀, 왼손으로 하는 모든 것은 서툴기 그지없었다. 그래도 '이 기회에
왼손을 잘 활용하여 우뇌개발까지 하면 일거양득이 아닌가.' 하고 마
음먹는 순간, 나는 이 상황에 고마운 마음까지 들었다. 손목을 다치
는 바람에 말도 못 타고, 테니스도 기타도 포기해야 했으나, 책을 보
고 글 쓰는 것은 왼손으로도 충분히 가능한 일이었다. 사실상 이 책의

원고 대부분은 왼손으로 썼다. 고맙지 않을 수 없다.

 늘 보조 역할만 하던 왼손이 이제는 오른손의 도움이 전혀 없는 메인 역할을 해야 했다. 한손으로 치약뚜껑 열기, 치약 짜기, 세수하기, 머리 감기, 옷 입기, 젓가락질, 라면 끓이기……. 날이 갈수록 내 왼손의 기능은 점점 더 발전했다. 며칠 지나지 않아 난 왼손만으로도 샤워하고 화장까지 자유자재로 할 수 있게 되었다.

 사실상 왼손은 원래부터 이런 기능을 갖고 있었다. 다만 내가 그동안 왼손을 쓰지 않았을 뿐이다. 쓰려는 생각조차 하지 않았던 것이다. 내 속에 잠자고 있는 무한한 가능성을 끌어내는 일도 마찬가지다. 우리가 원한다면 얼마든지 가능하다.

 책이 출간되고 사인회를 하는 날은 내가 손목뼈를 다친 지 100일째

되는 날이다. 그날 사인회는 오랫동안 쉬었던 내 오른손의 '실력'을
테스트해 보는 날이기도 하다. 그동안 오른손을 충분히 휴식하게 도
와준 왼손에게 새삼 고마움이 더해지는 날이기도 하겠다.

감사한 마음을 가지다보면 긍정의 에너지가 차올라 좋은 일이 더
많이 생긴다.

올해는 어느 해보다 감사할 일이 많은 해이고, 행복한 한 해다. 내
가 글을 쓰기로, 책을 쓰기로 결심한 그 순간부터 나는 너무나 많은
도움을 받고 너무나 많은 은혜를 받았다. 이제 나의 글쓰기 인생에 참
여해 함께해 주신 여러분들에게 감사의 말씀을 드릴 시간이다.

변함없이 내 꿈을 응원해준 사랑하는 친구 태금이, 서희, 영민 언니,
글쓰기 친구였던 스칼렛님, 대자연님, 작은도둑님, 그대들이 있어서 나

는 늘 꿈을 꿀 수 있었고 꿈을 이루는 길에서 지치지 않았다.

그동안 멋진 강의를 해 주신 숭실사이버대학교의 허혜정 교수님, 최옥정 교수님, 김슬옹 교수님, 고동렬 교수님, 이정창 교수님. 교수님들은 내게 또 다른 세상을 열어 주셨다. 나의 꿈을 점검하고 응원해 준 무대였던 '삼수학당독서모임'의 현정 씨, 향란 씨를 비롯한 모든 회원님들, '화이트칼라동호회'의 혜영 씨를 비롯한 회원님들은 내 삶의 활력소였다. '책 읽는 상하이, 책 쓰는 상하이'란 강연을 마련해 주신 상하이저널 고수미 국장님, 나를 처음 만난 그날부터 작가라고 불러 주시고 특강에 초대해 주신 박상윤 작가님의 시너지 효과가 없었다면 나는 책 쓰기에 대한 강연을 들을 기회도, 책을 쓸 생각을 하지도 못했을 것이다.

'책 읽는 상하이, 책 쓰는 상하이' 특강에 오셔서 훌륭한 강의를 해 주신 유길문 작가님, 장재홍 작가님, 이재규 작가님, 강원국 작가님, '나는 작가다'를 함께 외치며 작가의 길에서 둘도 없는 응원자가 되어 주신 윤형건 작가님, 최지성 작가님, 허만재 작가님, 이학준 작가님. 이분들이 함께하지 않았다면 나의 책은 세상에 태어나지 못했을 것이다. 안부 인사하는 척하며 슬쩍슬쩍 내게 작가들에 대한 이야기를 해 주시고, 나에게 책을 쓸 수 있도록 충동질 해 주신 '도서출판 더클'의 유준원 대표님, 그동안 대표님의 격려와 채찍질이 없었다면 나는 중도에서 포기했을지도 모른다. 민족의 정체성에 대한 강의를 해 주신 김문학 박사님, 황유복 박사님께도 감사하다는 말씀을 전하고 싶다. 내 책의 출간을 위해 끝까지 수고를 아끼지 않으신 더클의 출판 관계자분들께 정말로 고맙다는 인사를 드린다. 늘 나를 믿어 주시고 격려해 주신 김용남 목사님, 최일산 장로님, 임승빈 장로님, 허주명 장로님을 비롯한 상하이중앙교회 성도님들에게도 고마움을 전한다.

　내 꿈이 시작하는 곳, 이곳 상하이에서 늘 나와 함께 하는 멋진 상하이 동창들에게도 감사를 표한다. 친구들아, 너희들이 있기에 내가 꿈을 이룰 수 있었단다. 따이 선생을 비롯한 테니스동호회, 말타기 클럽의 회원들에게도 감사의 인사를 전한다. 한 마디 불평도 없이 나의 꿈을 전적으로 응원해 준 사랑하는 나의 가족 어머니, 아버지, 동생 미영이, 미향이, 해련이, 제부들, 조카 윤정이. 물심양면으로 도와준 남편과 내가 책을 쓰는 걸 누구보다도 좋아했던 딸 비동이에게 정말로 고맙다는 말을 전한다. 그리고 사랑한다.

　어린 시절, 내게 매일 밤마다 재미있는 옛이야기를 들려 주셨던, 내가 작가가 되기를 누구보다 간절히 바라셨던, 지금은 하늘나라에 계시는 할머니께 이 책을 바친다. "할머니, 저 드디어 작가 되었어요."

이 책을 탈고할 즈음에 나에겐 또 하나의 가슴 벅찬 일이 일어났다. 친구에게 책을 썼다고 자랑을 했더니 그 친구가 당장에서 나한테 자기의 친구인 전문 사진작가 두 명을 소개시켜 준 거다. 내 책의 표지사진을 찍어 주기 위해 장려명 씨와 최원봉 씨는 소흥에서 기꺼이 상하이로 와 주시겠다고 했다. 내 책의 콘셉트를 이해하고 나에게 사진 촬영을 해 주신다고 했다. 초보 문학 작가와 프로 사진작가가 만나서 이루는 하모니에 독자들이 어떤 반응을 보일지 무척 궁금하고 가슴 설렌다.

나는 모바일 메신저를 시작하며 프로필에 이런 글을 적었다. "꿈이란 건, 기실은 충분히 자랑할 가치가 있는 물건이다!" 나는 꿈을 말하고 꿈을 자랑했다. 꿈은 감추는 것이 아니다.

내가 영어를 배우고 있는 영독사(영어를 독하게 공부하는 사람들)의 선생님이 말씀해 주신 글귀가 떠오른다. Once you make a decision,

So the universe conspires make it happen. 일단 당신이 결정을 하면, 온 우주가 그 일이 일어나도록 도와준다.

이제 당신도 결정하라. 꿈을 적고 자랑하라. 걸어라, 앞으로. 온 우주가 당신이 꿈을 이루도록 도와줄 것이다.